L'ENCYCLOPÉDIE DES REBELLES

insoumis et autres révolutionnaires

Conseiller historique :
Christophe Giudicelli,
maître de conférences
à l'université
Sorbonne-Nouvelle

ISBN 978-2-07-061676-3
© Éditions Gallimard Jeunesse, 2009
Dépôt légal : février 2010.
1er dépôt légal : octobre 2009.
Numéro d'édition : 175310
Loi n° 49-956 du 16 juillet 1949 sur les publications destinées à la jeunesse.

ANNE BLANCHARD FRANCIS MIZIO SERGE BLOCH

L'ENCYCLOPÉDIE DES REBELLES

insoumis et autres révolutionnaires

GALLIMARD JEUNESSE

Préface

Le monde ne les a pas satisfaits...
Ils l'ont révolutionné ou ont tenté de le faire !

Esclaves, soldats ou simples êtres humains, ils ont dit « non »
aux tyrans et aux oppresseurs.
Penseurs ou écrivains, ils ont lutté contre les inégalités et les injustices.
Scientifiques ou artistes, ils ont questionné les principes,
repoussé les limites.

Voici rassemblés ici une poignée de femmes et d'hommes
qui ont marqué l'humanité.

La plupart d'entre eux ont ouvert les yeux de leurs semblables.
Beaucoup influencent toujours le regard que nous portons
sur la société, la science et l'art.
D'autres ont vu leurs idées balayées, ruinées par le temps
ou les événements.
Mais tous ont voué leur vie à une croyance, une espérance, un idéal.

Retournons avec tendresse sur les pas de l'enfance de ces rebelles.
Partageons avec humour leurs interrogations de jeunesse.
Découvrons les temps forts de leurs vies pour saisir comment ces noms
célèbres ont laissé leur empreinte.

Parcourir cette galerie de portraits légers et souriants (nourris
d'autobiographies, de correspondances et d'ouvrages historiques),
c'est aussi découvrir qu'il existe une histoire des idées.
En marge des récits de vie, de brefs textes documentaires replacent
dans leur contexte les acteurs, les mouvements, les inventions
et équations révolutionnaires.

Ces grands personnages nous parlent d'absolu.
Mais attention, ce n'est pas parce que l'on se révolte
que l'on a forcément raison.
Une chose est certaine, si quelques femmes et hommes opiniâtres
ou têtus ont réussi à faire progresser l'humanité, il y a toujours un risque
à écouter la rébellion ou à la rallier. Celui de se tromper.

Mais le monde pourrait-il avancer autrement ?

AKHENATON

L'Égypte des pharaons a duré plus de 3 000 ans : son histoire s'achève avec la conquête romaine, sous le règne de Cléopâtre en 31 av. J.-C. La période nommée « Nouvel Empire » au cours de laquelle ont régné les ancêtres et successeurs d'Akhenaton aux noms prestigieux (Hatshepsout, Toutankhamon, Ramsès) a été très brillante. À l'exception des grandes pyramides bâties mille ans plus tôt, tout ce qui fascine dans l'Égypte ancienne date du Nouvel Empire, qui a pour capitale la riche Thèbes. Les pharaons se font construire leurs sépultures dans la Vallée des Rois et la Vallée des Reines. Le dieu Amon-Rê vénéré par tous, domine parmi de nombreux dieux. On érige des temples à Karnak, Louxor, Abou-Simbel.

Akhenaton n'a régné que dix-sept ans, mais a eu le temps de mettre sens dessus dessous l'Égypte, un pays qui pourtant s'y connaît en résistance des matériaux, et d'être maudit pour les siècles des siècles. Il faut dire qu'avant d'en arriver là, il a exagérément fait son pharaon. C'est le grand frère d'Akhenaton qui devait monter sur le trône, mais, patatras, celui-ci meurt et la tiare passe sur la tête du petit.

Jusque-là, les Égyptiens adoraient tranquillement leur panthéon de dieux à tête de ceci ou de cela, sous l'égide d'un trio en chef : Amon-Rê, le plus aimé peut-être, qui assurait la victoire et la richesse, Isis, épouse et mère idéale, et Osiris qui veillait sur les morts. Mais voilà qu'Akhenaton, qui s'appelait encore sagement Aménophis (comme son père), arrive au pouvoir et décide, puisque maintenant c'est lui le pharaon !, que tout cela c'est fini. Il a 21 ans. Il va instaurer le culte unique du dieu solaire, Aton, et va changer de nom. Il sera désormais Akhenaton, « celui qui est bénéfique à Aton ». Mieux encore, il n'en fera qu'à sa tête et il faudra l'idolâtrer, lui aussi, ainsi que Néfertiti, sa belle et royale épouse, et leurs filles. Forcément, il s'ensuivit un sacré bazar.

Avant ses caprices, le pays était riche et stable. Il tournait rond avec son équipe de dieux. On leur construisait des temples et des palais. Le clergé collectait l'impôt et les récoltes. Il en redistribuait un peu à une population asservie et habituée à des travaux de bêtes de somme. Les pharaons avaient leurs tombeaux géants pointus, et les momies, leurs bandelettes. Par ailleurs, les guerres et les

AKHENATON (vers 1353-1335 av. J.-C.),
pharaon, époux de Néfertiti, a essayé d'imposer
le culte unique du dieu Aton :
une véritable révolution dans une Égypte
croyant en une multitude de dieux.

Pharaon, fils des dieux sur Terre, dirige le pays et doit faire respecter la loi de Maât, déesse de l'Harmonie. Il est le lien entre les Égyptiens et les dieux : Amon-Rê, garant des victoires et richesses ; Isis, maîtresse de la vie ; son époux, Osiris, gardien des morts et de l'au-delà ; leur fils Horus, gardien du Ciel… C'est dans l'indifférence qu'Akhenaton fonde le culte du Soleil, Aton, dieu abstrait et dénué de traits humains. Il fait détruire au marteau les images d'Amon, mais n'exige pas de son peuple qu'il se convertisse. Les prêtres de Thèbes, dont le pouvoir gêne depuis longtemps les pharaons, sont un temps affaiblis, mais triomphent quand le nom d'Aton sombre dans le sable.

conquêtes rapportaient gros. Bref, tout cela roulait impeccablement, comme un bloc de pierre de mille tonnes sur des rondins de bois.

En décidant qu'à la place de tous les dieux supervisant leur petit monde, il n'y en aurait plus qu'un, Akhenaton prive le clergé de son argent et, pire, de son pouvoir d'intermédiaire entre l'autre monde et les hommes. Voilà le chômage qui pointe pour les prêtres… ça commence très mal. D'autant que, dans la foulée, pharaon fait détruire les anciens temples.

Il abandonne ensuite la capitale Thèbes, pour en fonder une nouvelle, à quatre cents kilomètres de là, loin de tout. Tout cela n'est pas donné, mais *« le pharaon soulignait qu'il voulait construire sa ville à cet endroit et nulle part ailleurs, et que si quelqu'un essayait de le persuader de la construire ailleurs, il ne l'écouterait pas, même s'il s'agissait de la reine elle-même »*, rapporte un historien.

Le peuple égyptien, que l'on ne soupçonnera jamais de paresse, se retrouve donc, lui, avec du travail en plus, déjà qu'il n'en manquait pas… Et il a sur le dos un chef coupé des réalités, qui va un peu trop vite pour lui dans la routine millénaire. Le peuple accomplira sa tâche (l'habitude sans doute), mais sans renoncer à ses chers dieux. Il faut bien s'accrocher à quelque chose pendant que le pharaon, qui est tout de même très spécial, prie, révolutionne l'art et commande des statues à son image (silhouette féminine et yeux en amande), même lorsque malade (de quoi ? on ne sait), il finit obèse. Et tout ça pour ? Pour *« asseoir son pouvoir »*, expliquent les égyptologues. Ambitieux et mégalomane, le pharaon, mais pas bête…

Cela dit, ils n'en savent pas beaucoup plus, les historiens. Alors, on suppose. Certains ont même imaginé qu'avec son culte de la personnalité et sa manie du seul Aton, le pharaon avait lancé la mode du dieu unique, dans notre civilisation. Rien n'est moins sûr. Dès sa mort, vers 40 ans (raison ? inconnue), les Égyptiens s'empressent d'effacer les traces de son règne et de raser sa capitale. Le site reste maudit jusqu'au XIXe siècle et les restes de ce que l'on pense être sa tombe ont été profanés.

Le successeur d'Akhenaton abandonne le titre Toutankhaton pour un autre plus classique : Toutankhamon. Quant au culte d'Amon-Rê et ses nombreux collègues, il repart de plus belle.

Car ce n'est pas tout ça, les fantaisies et les caprices, mais il y a encore un paquet de choses à bâtir.

Une diplomatie d'argile.
En 1887, une paysanne labourant sa terre sur le site de l'ancienne capitale d'Akhenaton met au jour de curieuses tablettes d'argile gravées. Devinant qu'il s'agit d'antiquités, la paysanne les vend au marché à bas prix, ignorant qu'elle tient là des lettres d'une valeur inestimable. D'autres tablettes issues du bureau des Archives d'Akhenaton ont, à leur tour, été tirées de terre. Y sont évoqués le commerce, les alliances militaires et projets de mariages propices aux bonnes relations. Ce sont les seuls témoignages permettant de reconstituer les relations de la cour d'Égypte avec les royaumes voisins, pendant les règnes d'Hatshepsout, Thoutmosis, Aménophis et Akhenaton.

SPARTACUS

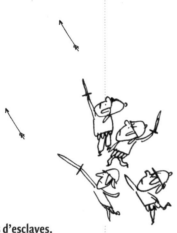

On ne sait presque rien de ce fameux esclave qui, avant de ressembler à Kirk Douglas au cinéma, a fait trembler Rome comme une feuille de laurier. C'est un homme né libre, en Grèce. Fait prisonnier et enrôlé de force dans l'armée romaine, il déserte, est repris, puis vendu à un marchand, un certain Batiatus. Celui-ci va en faire un gladiateur et le produire dans des spectacles du côté de Capoue, au sud de Rome.

Les esclaves qui se révoltent, Rome connaît bien et les écrase généralement vite. Avec Spartacus, ça va être une autre paire de manches. À la fois « doux » et « autoritaire », « cruel, imaginatif et courageux », « il a une très grande influence sur ses compagnons », dixit les historiens grecs. Et sa femme, qui sait lire les songes, est une magicienne !

Trois guerres d'esclaves.
À l'époque de Spartacus, Rome, conquérante, multiplie les prisonniers et en fait des esclaves. Les plus chanceux sont domestiques en ville ou gladiateurs. Les plus nombreux travaillent à la campagne au service des sénateurs. Ceux-ci ont beau faire régner la terreur, les révoltes se multiplient. Dans la seconde moitié du IIe siècle av. J.-C., une vraie guerre oppose Romains et esclaves : leur chef est même nommé roi. Puis ce sont 40 000 rebelles, qui ravagent la Sicile. Il faudra pas moins de trois ans aux Romains pour envoyer les derniers récalcitrants nourrir les fauves. Spartacus déclenche la dernière et la plus meurtrière des « guerres serviles ». Il a tant terrorisé Rome que son nom est resté durant des siècles une insulte en latin !

Un jour, Spartacus convainc 70 de ses compagnons de cirque de s'enfuir en s'emparant de broches et de coutelas de cuisine (mesure de prudence élémentaire, les gladiateurs s'entraînent avec de faux poignards). Coup de chance, à peine dehors, ils tombent sur des chariots chargés d'armes, des vraies... Ils seront une centaine, au bout d'une semaine, 10 000 au bout d'un mois, et, excusez du peu, plus de 150 000 à le rejoindre, un an plus tard.

Avec ses copains gaulois Crixus et Œnomaeus, Spartacus met en coupe réglée toute la région, récupérant armes et vivres, qu'il partage entre les hommes équitablement (une mesure très populaire). Fonçant vers Rome, Spartacus et les siens rallient à eux les esclaves et les ouvriers agricoles pauvres, partout sur leur passage. Les propriétaires ont beau équiper des milices privées contre eux, les rebelles

SPARTACUS (vers 100-71 av. J.-C.)
a dirigé, en 73 av. J.-C., la plus célèbre des
révoltes d'esclaves contre Rome. Il a marché
sur sa capitale, tenu son pouvoir et son armée
en échec durant près de trois ans.

« **Celui qui va mourir te salue** » : les gladiateurs ont droit à une nourriture abondante et à la compagnie d'une femme pour entretenir leur forme. Le combat de gladiateurs, divertissement coûteux, est un « cadeau fait au peuple » par les sénateurs ou par l'empereur, soucieux de leur image. Des hommes libres, qui luttent pour l'argent et assurent ainsi la qualité du spectacle, se mêlent aux esclaves. Les spectateurs – empereur compris – se répartissent en groupes de « supporters ». Lorsque les gladiateurs sortent vivants d'un duel, le public peut décider de la mort de l'un d'eux d'un simple geste du pouce tendu vers le sol... Mais, vu leur « prix », il est plus intéressant de garder les lutteurs vivants. Le fameux « *Ave Cesar, morituri te salutant* » n'aurait été prononcé qu'une fois.

restent insaisissables. Les propriétaires doivent appeler Rome et ses légions à la rescousse. Mais, les officiers ne sont pas très chauds pour se battre contre des hommes de vile condition. Ils auraient dû, les prétentieux... car pendant ce temps, Spartacus pille villes et villages.

Les esclaves, réfugiés sur les pentes du Vésuve, un volcan, sont assiégés, mais Spartacus réussit à s'enfuir en fabriquant des échelles avec des sarments de vigne pour ensuite massacrer les Romains endormis... De nouvelles troupes sont envoyées contre eux, mais toutes sont battues. Spartacus étonne par sa mobilité, il se permet même de surprendre un général sénateur dans son bain.

Justement : le Sénat commence à s'énerver. Il charge le préteur Varinius, un haut fonctionnaire, d'arrêter la progression de l'ancien gladiateur. Les esclaves sont mal armés, mal équipés et ont souvent faim et soif. Mais « *la haine qu'ils éprouvent contre ceux qui avaient été leurs bourreaux les rend ingénieux : plusieurs d'entre eux ont fondu leurs chaînes, pour en forger des glaives et des flèches* ». Et une nouvelle fois, ils s'échappent. Il est temps pour Spartacus d'affronter Rome et les cohortes de Varinius en bataille rangée. Personne ne donnerait un sesterce de sa peau. Résultat : les Romains sont une fois de plus écrasés (et épouvantés par les cris de guerre du camp adverse). Spartacus s'offre en prime le luxe de récupérer le cheval et l'armure du chef ennemi, qu'il porte désormais partout. Le mythe est en marche... On est en 72 av. J.-C.

Au Capitole, ça chauffe. Deux consuls, Gellius et Lentulus,

sont nommés, mais ne tardent pas à être aplatis à leur tour !
Spartacus organise même des combats de gladiateurs avec
trois cents prisonniers. L'humiliation...

Rome aux abois arme alors puissamment le riche et vani-
teux Crassus. Si, avec son armée de 50 000 hommes, il ne
parvient pas à vaincre Spartacus de front, il le repousse loin
de Rome. Les légions assiègent Spartacus, trahi par ses alliés, et attendent que son armée tombe de faim. Au bout
du rouleau, Spartacus et les siens s'échappent encore une
fois (sous la neige !). Ils n'ont pourtant pas encore dit leur
dernier mot. Crassus recule, mais fini de rigoler ! D'autres
armées l'aident à bloquer les trublions. Décidé à mettre
Spartacus à sa botte, Crassus va jusqu'à punir de mort ses
soldats en les décimant. Eh oui, décimer, c'est ça : en exé-
cuter un sur dix pour motiver les neuf autres !

En mars 71 av. J.-C., c'est l'affrontement final. Spartacus
abat son cheval, déclarant qu'il en trouvera un meilleur, s'il
l'emporte... ou qu'il n'en aura plus besoin, avant de mourir au combat. 60 000 esclaves sont tués. La répression est
terrible. 6 000 insurgés ramenés à Rome sont crucifiés le
long de la via Appia, une sorte d'autoroute entre la capitale
et Capoue, pour faire un exemple.

Quant à Crassus, n'ayant vaincu que des esclaves, il n'ob-
tiendra pas de lauriers du Sénat, mais une simple « ova-
tion », le triomphe du pauvre.

Jamais Rome n'avait eu si peur, et ce pendant près de trois
longues années. Et, désormais, tous savent qu'un autre
Spartacus peut toujours surgir.

*Kirk Douglas
dans le rôle
de Spartacus*

FRANÇOIS D'ASSISE

« Un nouveau printemps du monde », c'est dans cette période heureuse du Moyen Âge que François est né. La population a augmenté, doublé peut-être, depuis l'an 1000. Et, après des siècles de famine, on a désormais les moyens de se nourrir, même s'il y a toujours des « maigres », des pauvres, et des « gras », des riches. Le cheval remplace le bœuf et tire un modèle de charrue plus efficace. Les champs cultivés s'étendent, remplaçant les forêts jadis peuplées de porcs sauvages. Si la récolte est bonne, une partie est vendue sur les marchés des villages, à proximité des châteaux forts. Le travail d'artisans, ne dépendant d'aucun seigneur, réveille des villes endormies depuis l'Antiquité. L'Europe est sillonnée par les « pieds poudreux », de riches commerçants tels que le père de François.

1200 ans après, le retour : Jésus revient ! Il s'appelle à présent François Bernardone et c'est le fiston d'un riche marchand de tissus de luxe à Assise, en Italie. Dialoguant avec le ciel, il multiplie les miracles, devient un saint, et sème la pagaille dans l'Église. Personne ne saura l'arrêter.

Jusqu'à 15 ans, François est heureux. Il voyage avec son père, le commerçant, et reçoit une solide éducation. Après une jeunesse dorée comme une enluminure, François rêve d'un destin exceptionnel, veut devenir chevalier. Il combat pour l'indépendance de sa ville, Assise, contre l'empereur germanique, qui occupe le coin, puis contre l'armée du pape.

Il est fait prisonnier durant un an, mais il prend les choses du bon côté, rapporte sa légende, et en profite pour rêvasser à son futur destin. *« Tandis que les chevaliers geignaient à longueur de journée sur leur triste sort, lui, au contraire, se riait de ses chaînes, sans cesse enjoué et plaisantant.*

– Es-tu fou, disaient-ils, de plaisanter ainsi dans l'état où nous sommes ?

– Comment voulez-vous que je sois triste, répondait-il, quand je sais l'avenir qui m'attend, quand je me vois devenu l'idole du monde entier ? »

Libéré, François reprend du service puis tombe malade. Là, la fièvre aidant peut-être, il a la première de ces grandes visions de Dieu qui guideront sa vie. Elle lui dicte de renoncer à la guerre. Il rentre chez lui, méconnaissable. Il a 23 ans.

SAINT FRANÇOIS D'ASSISE
(1182-1226), Italien, a appliqué à lui-même
et au quotidien, la pauvreté recommandée
par les Évangiles.

Chevalier de Dieu...
Jeune, François a lu les romans d'Arthur, chevalier de la Table ronde. Il a été marqué par les qualités de ces guerriers de papier (courage, générosité, loyauté). Il surnomme ses frères moines « mes chevaliers » et appelle la Pauvreté sa « Dame ». Il est croyant, comme tous les hommes de son temps, mais choisit le premier des modèles : Jésus en personne. François devient à son tour une légende. En vieillissant, il se méfie des livres, bien qu'on en écrive de nombreux sur lui. On raconte sa vie en reprenant des témoignages inventés ou non, des poèmes répétés tant de fois qu'on finit par les croire réels. Les célèbres *Petites Fleurs*, écrites un siècle après la mort du saint, lui prêtent des miracles et actions stupéfiantes.

Apparitions ou voix de Dieu entendue de lui seul, protecteurs haut placés dans l'Église : tout va bien pour François. Avec cette réorientation, il a trouvé son chemin. Il met ses connaissances de maçon (acquises en montant des remparts durant la guerre) au service du Ciel et, mendiant des pierres, restaure seul une chapelle. Mais, comme il dilapide aux quatre vents sa fortune, il *pazzo* ! (« le fou »), son père lui fait un procès auquel il se rend nu comme un pénitent. Ému, l'évêque lui offre sa protection, en attendant que François devienne un saint et soit, à ce titre, capable de se protéger tout seul.

Comme restaurer des bâtiments devient vite lassant, François s'attaque aux fondations de l'Église entière. Et c'est un sacré chantier ! Estimant que les chrétiens ne respectent plus la pauvreté conseillée par les Évangiles, il va la remettre à la mode. Avec des compagnons, en chantonnant, il prend la route pour prêcher le salut de l'âme par le dénuement.

Un jour, il ouvre trois fois les Évangiles au hasard et lit successivement : « *Si tu veux être parfait, va, vends tout ce que tu possèdes et donne-le aux pauvres, et tu auras un trésor dans le Ciel.* » Puis « *n'emportez rien sur la route...* », et enfin, « *celui qui doit me suivre doit renoncer à soi-même* ». Comme il voit grand, François appliquera ces principes aux communautés religieuses qu'il va créer. Ce seront l'ordre des Franciscains pour les hommes et l'ordre des Clarisses pour les femmes, fondé avec Claire, une camarade de route. Avantage avec François, qui n'aime guère la hiérarchie : il y a peu de chefs dans ses communautés.

À partir de là, rien ne peut plus l'arrêter. Vers 1209, il rallie à ses idées le pape Innocent III, pourtant titilleux au sujet de la réforme de l'Église. Il prêche et s'inflige des pénitences, toujours soutenu par Dieu, qui lui adresse un petit signe de temps à autre, et par les foules. Devenu une star, il soutient les croisades, mais milite pour la paix entre islam et chrétienté. On le voit au Maroc, en Espagne, en Orient, tandis que les frères franciscains se répandent en Europe pour expliquer ses idées, sa voie.

On dirait pas comme ça, mais François n'a jamais eu la santé. Il souffre des yeux, de l'estomac et le voici qui, épuisé, meurt à 44 ans. Il entonne un dernier psaume puis s'éteint, laissant 5 000 frères en deuil et une Église orpheline.

Précisons que canonisé, déclaré « saint homme », en 1228, François le *Poverello* (le « Pauvre ») a été inhumé dans une basilique bâtie rien que pour lui deux ans après. Nul ne sait ce qu'une fois arrivé au Ciel, le héraut de la modestie, le chevalier de l'humilité en a pensé.

Reste sa vie, qui a sans doute été enluminée et légendée comme un vieux grimoire : prêchant l'amour de la nature, qui est création de Dieu, convertissant les oiseaux et même un loup (ce qui fait de lui le saint patron des écologistes), accomplissant des miracles et autres merveilles, embrassant et soignant des lépreux... Impossible pourtant d'oublier ses leçons. D'ailleurs, en 2007, à Assise, le pape Benoît XVI a dit qu'il serait bien que les idées du saint soient un peu plus respectées au sein de son Église...

« *Avanti !* »

François parle de son Dieu à Dame Nature. Il rachète des agneaux pour qu'ils ne soient pas mangés, dialogue avec les abeilles, les cigales. Selon le récit des *Petites Fleurs*, un jour, alors que François prêche, le bruyant chant des oiseaux l'empêche de se faire entendre. Il leur demande le silence pour s'exprimer à son tour... et les oiseaux s'exécutent ! Une autre fois, François va à la rencontre d'un loup qui terrorise tout un village. « Frère Loup », habitué aux cris des hommes, est surpris de la parole du saint qui lui ordonne « *au nom du Christ de ne faire de mal à personne désormais* ». Une fois ce sermon écouté, le fauve disparaît à jamais... François est le premier à avoir reconstitué la crèche de Bethléem, à Noël. Aux côtés de l'Enfant Jésus ne manquaient ni l'âne ni le bœuf.

FRANÇOIS VILLON

La poésie du temps de Villon
est souvent savante et creuse,
ou courtoise et lyrique.
C'est le cas de celle de son
protecteur, le neveu du roi,
Charles d'Orléans :
« Le temps a laissé son manteau
De vent, de froidure et de pluie,
Et s'est vêtu de broderie
De soleil luisant, clair et beau… »
La langue de Villon tranche.
Sa Ballade des pendus interpelle
d'au-delà le gibet et la mort,
que le poète redoutait alors :
« La pluie nous a trempés et lavés
Et le soleil desséchés et noircis
Pies, corbeaux nous ont les yeux crevés
Et arraché la barbe et les sourcils
Jamais nul temps nous ne sommes assis
Puis çà, puis là, comme le vent varie
À son plaisir sans cesse nous charrie… »
On sait que, au XIXᵉ siècle, Rimbaud,
autre jeune poète hors du rang,
a été repéré par un professeur
à la suite d'une dissertation sur
le sujet : *« Imaginez le plaidoyer que*
le duc d'Orléans adresse à son oncle,
le roi, pour éviter la potence à François
Villon… »

La Ballade
des pendus,
illustration
d'époque

On avait déjà tranché les oreilles de sa mère, pauvre, veuve, voleuse et récidiviste. Alors lorsqu'il a appris qu'elle avait été enterrée vive ou pendue, nul ne sait, François Montcorbier a vomi sur ses chaussures. Et sans doute à jamais sur le monde.

La mort : une punition banale en 1453, à Paris. Qui peut jurer n'être pas, le lendemain, torturé pour un rien par les hommes du commissaire de la ville ? Celui qui menace les « gens d'armes », on lui coupe le poing… Ça ne rigole pas, il en fait tôt la rude expérience, François Montcorbier, dit aussi « Villon » (du nom du chanoine, du religieux, qui l'a pris sous son aile lorsqu'il avait 4 ans).

Heureusement, il y a les femmes, les tavernes, et des tas de tours à jouer pour profiter de la vie incertaine. Et Villon en profite bien. Il écrit des poèmes insolents, qui lui valent leur pesant d'ennuis, tout en décrochant un diplôme à la Sorbonne, en 1452. À l'époque, pour faire des études, il faut être clerc, « apprenti religieux », avec robe et crâne tonsuré. Pratique ! Les moinillons dépendent d'un tribunal ecclésiastique et non de la justice ordinaire. Ça tombe bien, car Villon se fait sérieusement remarquer.

Les chahuts étudiants se multiplient alors dans les rues de Paris. Une nuit, François est parmi les agités qui volent la borne du Pet-au-Diable, qui jusque-là décorait (et protégeait peut-être des coups de charrette) la façade d'un hôtel de bourgeois. Le lendemain, le peuple de la capitale, bon public, est hilare, mais les victimes portent plainte. La police, qui déteste les étudiants et craint la subversion,

FRANÇOIS VILLON
(né vers 1431, mort à une date
inconnue), repris de justice,
est un des premiers grands
poètes français.

Les universités sont ouvertes à tous à la fin du Moyen Âge. Mais étudier, se loger, coûte cher. Recopier ses cours pour les revendre reste insuffisant. Pour les plus pauvres, on crée, grâce aux dons du roi ou des plus riches, des internats. À l'époque de Villon, la ville en compte une quarantaine accueillant 400 boursiers. Villon s'inscrit dans le plus connu : la Sorbonne. C'est une simple association de maîtres payés pour faire cours, chez eux le plus souvent. Comme leur gain dépend du nombre d'étudiants, ils sont peu exigeants sur le niveau. Côté étudiants, le plus difficile n'est pas d'avoir son diplôme (Villon l'a eu), mais de trouver des débouchés : obtenir un emploi, une charge en théologie, requiert docilité et appuis.

Le quartier Latin, repaire de marginaux, où habite Villon, met chaque jour au coude-à-coude criminels et étudiants. Ceux-ci exaspèrent les officiers de police et les bourgeois de Paris. Non seulement ils chahutent et versent facilement le sang, mais ils sont aussi dispensés de participer aux charges militaires et ne paient pas d'impôts. Jusqu'en 1446, les étudiants ne peuvent être jugés que par un tribunal dépendant de la Sorbonne. Lorsque, par décision du roi, il fut décidé de mettre fin à cette exception, il s'ensuivit des grèves auxquelles François Villon prit part. L'université limita alors la durée aux études pour lutter contre les « étudiants professionnels » susceptibles de s'attarder…

débarque à l'université. On fouille la chambre de François et on tombe sur sa collection. Près de deux cents enseignes de boutiques volées ! « *Mon garçon, ta gorge sent déjà le chanvre du gibet de Saint-Benoît* », prévient le lieutenant de police. C'est le bon chanoine Villon qui vole au secours de l'étudiant. Lequel avec ses camarades est condamné à replacer toutes les enseignes. Ils s'exécutent de bon cœur : de nuit et dans le désordre, créant un mémorable bazar dans Paris. On imagine… Le lendemain, les domestiques illettrés, à qui on avait dit « à l'enseigne en forme de poisson, tu tournes à gauche, jusqu'au panneau des deux cuillères », se perdent et mettent un temps fou à rentrer des courses. Cela dit, ça chauffe pour Villon, qui doit filer loin de Paris. On pense qu'il a peut-être ensuite été des dangereux malfrats de la bande de « la Coquille ». Mais les informations sur François manquent… sauf dans les archives de police. Celles-ci racontent qu'il continue ses frasques, dont une rixe mortelle pour son adversaire, un prêtre ! Villon s'en sort, mais échapper à la justice l'oblige à de fatigants allers et retours entre Paris et la province.

Heureusement, François a aussi l'esprit vif, un culot monstrueux et, surtout, il y a la poésie ! Il a du talent, sait s'en servir pour flatter les puissants, faire la manche et le malin à la cour d'Angers ou celle de Blois.

Une chance, le duc Charles d'Orléans, le neveu du roi, goûte fort les vers du malandrin. Lorsque le duc organise un concours, Villon le paie en retour d'une *Ballade des contradictions*.

Six cents ans plus tard, elle fascine encore, commençant très fort sur : *« Nu comme un ver, vêtu en président/ Je ris en pleurs et attends sans espoir/ Confort reprends, en triste désespoir/ Je me réjouis et n'ai plaisir aucun/ Puissant je suis, sans force et sans pouvoir… »*

François réapparaît en 1460 dans une prison d'Orléans, il a 29 ans. L'année suivante, il est dans la même mauvaise posture à Meung-sur-Loire. Le beau parleur est à chaque fois libéré ou gracié. Durant l'hiver 1461, il écrit beaucoup. En 1462, le revoilà enfermé au Châtelet, à Paris, pour une vieille affaire de cambriolage. Il est libéré, puis réincarcéré à la suite d'une bagarre collective. Cette fois, c'est sérieux. Torturé, le rimailleur va être pendu haut et court, quand un témoignage et une protection le tirent, une fois de plus, d'affaire. Ouf ! Sentant déjà la corde lui chatouiller la pomme d'Adam, il avait juste fini de composer son immortelle *Ballade des pendus*. Il s'en sort le 5 janvier 1463 avec une interdiction de séjour à Paris de dix ans, et disparaît à 32 ans… Sans demander son reste ? Que nenni. Non sans avoir écrit, la forte tête, un dernier poème ironique : *Louange à la Cour*.

On ignore ce qu'est ensuite devenu l'incorrigible voleur, bagarreur, coureur de jupons de 32 ans. Mais on sait ce qu'il advint du poète : un des plus grands, qui ne cesse d'émouvoir, et stupéfie encore par son habileté et sa modernité. Respect, monsieur le *« vaut rien »*.

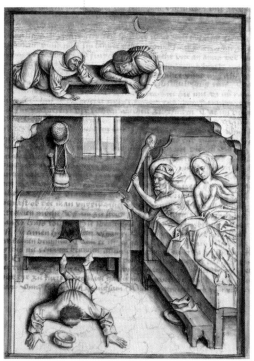

Le voleur qui s'était introduit dans une maison est puni, miniature du XVe siècle

Villon, un « coquillard » ? Le poète a-t-il appartenu à la compagnie de la Coquille, l'une des bandes de brigands qui se sont multipliées durant la guerre de Cent Ans ? On retrouve dans ses textes l'argot qu'utilisaient ces malfrats : les « oreilles » y sont des « anses », les « crocheteurs » forcent les serrures et les « dupes » sont leurs victimes. Le terme de « coquillard » vient de la coquille Saint-Jacques, signe de reconnaissance des pèlerins en route vers Saint-Jacques-de-Compostelle, lieu de réunion des chrétiens… Les « coquillards » se mêlaient à eux pour les détrousser : de bien peu recommandables fréquentations, à la hauteur du mythe du poète délinquant.

GALILÉE

La Terre tourne autour du Soleil
et le mouvement des étoiles n'est
qu'une apparence, due au fait que
la Terre tourne aussi sur elle-
même : le Polonais Copernic en
est convaincu dès 1506. Ses idées
contredisent le discours de l'Église,
pour laquelle la Terre est immobile
au centre de l'Univers, les planètes
tournant autour d'elle. On a appelé
« héliocentrisme » le modèle, juste,
de Copernic et parlé de « révolution
copernicienne », tant il a bouleversé
la science. Mais, prudent, le savant
a rendu publiques ses recherches
dans un livre paru le jour de sa
mort et dédicacé au pape ! Et, il a
qualifié ses thèses d'« *hypothèses
mathématiques sans réalité* ». Le
religieux Giordano Bruno, qui a
soutenu que l'Univers est infini
et que d'autres systèmes solaires
existent a, lui, payé ses audaces
du bûcher en 1600 à Rome.

Un type qui est de Pise, la ville où la Tour penchée semble toujours menacée de s'écraser, que fait-il ? Il avance le nez en l'air. Et, forcément, ça lui donne des idées. Surtout s'il est très fort, comme l'a été Galileo Galilei, dit Galilée.

Au départ, il pense être médecin, mais comme il est aussi calé en maths et en physique, il hésite. Ça balance d'autant plus dans sa tête que Galilée s'intéresse beaucoup aux oscillations des lustres et aux lois de la chute des corps. Finalement, il se débrouille pour prendre des cours de maths avec Ostilio Ricci (précepteur à la cour du duc de Toscane) et, en passant, s'initie à l'architecture, la perspective, la mécanique... En fait, la médecine le tente de moins en moins et, à 21 ans, il rentre à la maison pour ne rien faire de vraiment sérieux.

Cependant, comme il est futé, Galilée réinvente vite d'après un modèle antique une balance qui mesure la quantité d'or ou d'argent que contiennent les alliages de métaux. Résultat : ce n'est pas vraiment la richesse ni la gloire, mais le début de la reconnaissance.

À 25 ans, le voilà professeur de mathématiques, ce qui a ses avantages : un salaire certes modeste, mais du temps libre. Il peut bricoler et vendre des équerres, des boussoles... Déjà, il voit loin : il lui faudra argent et protections, s'il veut faire de la recherche. Mais ça s'annonce bien.

La république de Venise, un des seuls endroits d'Europe où l'on est un peu libre vis-à-vis de l'Église, consulte Galilée sur des questions de navigation de gondoles. Pour y répondre, en 1609, il construit un télescope, une lunette,

GALILÉE (1564-1642), savant italien, a défendu et prouvé ce qui n'était encore qu'une théorie : c'est le Soleil qui est au centre de notre Univers et non la Terre. Pour cela, il a été condamné par l'Église.

Jusqu'à ce que les thèses de Copernic et Bruno soient prouvées par Galilée, l'Église ignore les textes sur l'héliocentrisme, le mouvement de la Terre ou les limites de l'Univers. Galilée échoue à convaincre le pouvoir religieux qui, en 1616, interdit les livres sur ces sujets. Mais, proche du pape et des Médicis, il est peu inquiété. Il poursuit ses démonstrations jusqu'à ce que soit dénoncée la faiblesse du pape. Le savant devient alors un bouc émissaire. En 1633, il est convoqué par le tribunal de l'Inquisition. C'est déjà un vieillard, qui « a plus l'allure d'un cadavre que d'un vivant », écrit un de ses juges. Condamné, il renonce officiellement à ses idées, ce que l'on fait savoir dans les écoles et les universités. Ce n'est qu'en 1822 que l'Église autorisera les livres sur les mouvements de la Terre et l'immobilité du Soleil.

« conçue sous l'illumination de la grâce divine » écrit-il. C'est en fait une invention qu'il s'est appropriée (ça devient une manie). À Venise, on s'enthousiasme pour « son » télescope. « Nombreux furent les sénateurs qui, malgré leur âge, ont gravi plus d'une fois les escaliers » des plus hautes tours « pour découvrir la mer, les voiles et les vaisseaux si éloignés, qu'il leur fallait, en se dirigeant à toute vitesse vers le port, plus de deux heures avant d'être aperçus sans ma lunette ». Du coup, le savant braque son regard vers les nuages.

Mais, à l'époque, tout ce qui concerne le ciel est béni et s'y intéresser est franchement risqué. Le pape ne plaisante pas sur ce que l'on doit en penser, et la guerre des étoiles n'est jamais loin. Or, Galilée ne croit pas que la Terre est au centre de l'Univers, immobile, comme le dit la Bible, relayant les idées d'un philosophe de l'Antiquité, Aristote. Galilée trouve d'ailleurs « fatigant et honteux d'avoir à employer tant de paroles pour réfuter les arguments puérils » de ce vieux Grec.

Il est sûr que la Terre tourne sur elle-même et autour du Soleil, comme l'a déjà dit le Polonais Copernic, mais son confrère n'a rien prouvé ! Lui, Galileo Galilei y parviendra grâce à ses observations et ses super-lunettes. Un vrai tournant ! On raconte que, apprenant la nouvelle, son collègue l'astronome Kepler en pleura de joie et le compara à Christophe Colomb.

Tout cela, soit dit en passant, ne le rend pas très chaleureux. L'amour ne se calcule pas et ça n'est pas son fort. Il cloîtrera ses deux filles dans un couvent (l'une devenant sœur Marie Céleste, ça ne s'invente pas !), avant de leur

Galilée présente son télescope aux sénateurs de Venise.

tourner le dos pour revenir à ses équations.

Mais son triomphe commence à donner sérieusement le tournis à l'Église, surtout à la redoutable Inquisition, une sorte de police qui contrôle les idées. Galilée fait la sourde oreille. Pis, l'imprudent renonce à la protection de la puissante Venise et se met au service d'un Médicis, à Florence. Le voilà bien en cour mais, dès 1611, un ami s'inquiète : *« J'apprends qu'une clique de gens malveillants, jaloux de votre valeur et de votre mérite, se réunissent dans la maison de l'archevêque de Florence et, comme des enragés, vont chercher les moyens de vous attaquer sur le mouvement de la Terre ou sur quelque autre point. »* Galilée finit par réaliser que ça sent le fagot. Quelques-uns ont déjà été brûlés vifs pour moins lourd. Ainsi, peu de temps auparavant, Giordano Bruno, un prêtre pourtant, qui avait compris que l'espace est infini et qu'il y a d'autres systèmes solaires. À faire le malin…

« L'intention de l'Esprit saint est de nous enseigner comment on va au ciel, et non pas comment va le ciel », tente-t-il de se défendre. Rien n'y fera. *Vade retro satanas…* Son procès s'ouvre. Le savant est condamné à neuf ans de réclusion et mourra, âgé, malade, accablé de soucis, mais toujours entêté.

Après avoir été contraint d'écrire qu'il s'était mis le compas dans l'œil et que l'Église avait tout bon, il aurait, au final, dit la légende, déclaré au tribunal de l'Inquisition : *« Et pourtant elle tourne ! »* L'Église ne reconnaîtra qu'il avait raison que 99 ans après sa mort.

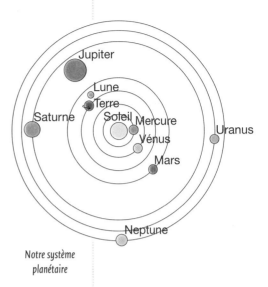

Notre système planétaire

Le tribunal d'Inquisition est créé au XIIIe siècle par l'Église catholique pour combattre les théories religieuses des cathares dans le Sud de la France. Cette « police de la pensée » puissante dans toute l'Europe traque les idées des hérétiques : de ceux qui dévient du droit chemin dessiné par les papes et dirigeants religieux. L'Inquisition a lutté contre les idées neuves ou qui dérangeaient, satisfaisant parfois au passage les pouvoirs politiques. Femmes, juifs, musulmans ont souvent été ses victimes. Par exemple, au XVe siècle, c'est un tribunal de l'Inquisition qui envoie l'encombrante Jeanne d'Arc au bûcher. En Espagne, l'Inquisition a existé jusqu'au XIXe siècle.

Isaac Newton

Le problème avec les premiers de la classe, c'est qu'ils le deviennent parce qu'ils sont bons. Et, comme ils le sont, ils dérangent et sont exclus. Du coup, ils travaillent davantage, et les voici encore plus à l'écart. C'est sans fin !

Dans la classe des premiers de tous les temps, Newton prendrait la tête haut la main, lui qui nous a bouleversé les mathématiques, l'astronomie, la chimie, la mécanique, la physique, mais qui n'osait pas publier ses découvertes. Par crainte d'être mal vu…

Newton, c'est le savant distrait et farfelu, qui se met à table en oubliant qu'il a des invités dans la pièce d'à côté, et que mille anecdotes du même acabit accablent. Lorsqu'il naît, prématuré, dans une famille aisée, on ne donne pas lourd de sa vie : « *Il était si petit qu'il tenait dans une cruche d'un litre.* » Il s'accroche, mais c'est son père qui meurt.

Sa mère se remarie. Son beau-père, le pasteur du village, ne voulant pas de lui, le petit Isaac est confié à sa grand-mère. Et, ce qui n'arrange rien, il est vraiment trop doué par rapport à ses copains d'école, le meilleur dans tout ce qu'il apprend et entreprend, de très loin. De si loin que le voilà tout seul avec pour refuge les livres, l'étude des secrets de la nature et des machines… Comme il est aussi calé en bricolage, il invente toutes sortes de choses, consignées dans des carnets secrets.

Lorsqu'il a 14 ans, sa mère, jugeant sa scolarité achevée, lui confie le domaine familial de Woolsthorpe à gérer. Las, Newton passe son temps à lire parmi les asphodèles et les fougères « *tandis que son troupeau piétinait l'orge du voisin* »,

Comprendre notre Univers : la ronde des découvertes. Au XVIe siècle, Copernic affirmait que la Terre tourne autour du Soleil. Mais, il pensait qu'elle effectuait un mouvement circulaire… Puis vint le savant Kepler, qui démontra que le mouvement de la Terre autour du Soleil décrit non pas un cercle, mais une ellipse. (Il en a conçu des lois qu'utilisent aujourd'hui encore astronomes et ingénieurs pour lancer des satellites.) À la même époque, Galilée eut le mérite de faire connaître ces théories. Puis, enfin, au XVIIIe siècle vint Newton, qui expliqua pourquoi et comment les planètes s'attirent mutuellement, par sa loi de la gravitation universelle.

NEWTON (1642-1727),
savant anglais, a révolutionné
l'astronomie en établissant la loi
de la gravitation universelle
qui régit le fonctionnement
de tout notre univers.

La loi de la gravitation universelle de Newton pose que « *les corps s'attirent avec une force proportionnelle à leurs masses respectives et inversement proportionnelle au carré de la distance qui les sépare* ». Ainsi, le Soleil et la Terre exercent-ils l'un sur l'autre une attraction. Mais, comme le Soleil a une masse très importante, il est presque insensible à celle de la Terre, tandis que la Terre, avec sa masse modeste, subit son attraction et tourne autour de lui. Selon la même loi, sur notre planète, tout corps qui « tombe » est en fait attiré par la force de gravitation qui s'exerce : celle de la Terre, par exemple, sur la pomme chutant que Newton aurait observée.

ou reçoit des amendes « *pour avoir laissé échapper sa truie et se délabrer ses clôtures* ». À 18 ans, il est renvoyé à ses chères études, mais pas n'importe où, à Cambridge, une très « *select university* ». Le jour où il en repart, mister Stokes, le directeur, « *mit son élève favori devant l'école et, les larmes aux yeux, fit son éloge, en recommandant aux autres de suivre son exemple* ». Il ne part pas longtemps finalement, ou plutôt il revient vite, comme professeur, cette fois. Les élèves désertent ses cours : « *il parlait pour les murs* », se souviendra son assistant.

À 24 ans, ça ne va pas mieux. Voilà que pendant les vacances, rêvassant dans le grenier et observant le soleil qui passe entre les volets, il perçoit comment se compose la lumière. Puis, alors qu'il dort sous un pommier, il rêve d'un des fruits chutant au sol et découvre le principe de gravité. Il choisit, toujours discret, de garder tout ça pour lui.

À 29 ans, Isaac Newton dépasse ensuite Galilée en inventant un télescope à miroir. Enfin, il ose se lancer, faire connaître son travail, et c'est vite la célébrité. On le reçoit à l'académie de la Royal Society, qui réunit les meilleurs savants. Dans la foulée, il publie sa théorie de la lumière. Résultat : un solide ennemi, Robert Hooke, qui se déclare aussitôt. Il a tant traîné à faire connaître ses idées que l'autre l'a rattrapé et s'en dit l'auteur. Les hommes étant décidément infréquentables, Newton replonge et s'essaie à la chimie, à la théologie. Puis, à 40 ans, alors que deux comètes passent dans son ciel, le savant trouve qu'il est grand temps de se remettre à l'astronomie. Du coup, il révèle la loi de l'attraction universelle, qui explique les mouvements des planètes. Bien que l'on conteste l'antériorité de sa théorie (une fois de plus), on le salue comme le grand révolutionnaire des sciences.

Après lui, plus rien ne sera jamais pareil durant des siècles. On se demandera s'il n'était pas fou, intoxiqué d'avoir manipulé trop de produits chimiques. Et, on retrouvera bien plus tard d'inquiétants taux de substances toxiques en analysant ses cheveux. Il mourra pourtant à un âge exceptionnel pour l'époque, à 84 ans, et aura un enterrement « *digne d'un roi* », commentera le philosophe français Voltaire, cette pipelette internationale.

Il se sera détourné durant trente ans de la science, mais des savants rivaux lui chercheront des noises jusqu'à sa mort. Peu importe, couvert d'honneurs, riche et anobli, *sir* Isaac Newton aura finalement eu le temps de goûter au monde. Au service de George Ier d'Angleterre, il aura touché à tout ou presque ce qui se présentera de prestigieux et rentable : détective policier contre les faux-monnayeurs, économiste, parlementaire, directeur de la fameuse Royal Society. Toujours le petit côté agaçant du surdoué (qui restera célibataire à vie)...

Il a été enterré à l'abbaye de Westminster dans la nef des grands d'Angleterre. Là, il doit être content : il a l'éternité pour réfléchir, sans plus personne pour lui demander de passer à table ou le critiquer. Quoique, à la réflexion, ce tombeau somptueux, ce ne serait pas un tantinet voyant ?

Newton et son prisme

Théorie de la lumière.
L'université de Cambridge étant fermée à cause d'une épidémie de peste, Newton est à la campagne quand il étudie la dispersion des rayons du soleil, à travers un prisme de verre. La lumière blanche se décline en couleurs, du violet au rouge en passant par le bleu, le vert, le jaune. Le savant démontre que ce n'est pas le prisme qui contient ces couleurs, mais la lumière blanche elle-même. Ces travaux sur l'irisation de la lumière aggravent la brouille de Newton avec son rival, Robert Hooke, président de la Société royale des sciences de Londres. Newton ne les publie qu'après la mort de ce rival, dont il prend la suite à la tête de cette prestigieuse institution !

TOUSSAINT LOUVERTURE

Les îles des Caraïbes et l'Amérique, découvertes en 1492, par Christophe Colomb, pour le compte du roi d'Espagne, ont vite suscité la convoitise des Européens, qui s'en emparent et en font leurs colonies. Ceux qui s'y installent vivent d'élevage, cultivent la canne à sucre, le coton ou le tabac... Comme les bras pour travailler la terre manquent, on fait venir des esclaves d'Afrique. Des marchands européens organisent un sordide trafic : des millions de Noirs sont déportés vers l'Amérique et ses îles dans des conditions atroces, beaucoup meurent en route. Les révoltes d'esclaves ont été très nombreuses, mais seule celle de Saint-Domingue, colonie française (en partie seulement), a abouti. En 1804 naît un pays, baptisé Haïti, « terre montagneuse », en créole.

Avant d'être « Louverture », libérateur des Noirs de l'île de Saint-Domingue, Toussaint naît esclave. On ne l'appelle alors ni Louverture ni « Fatras-Bâton » ou le « Difforme », comme on le surnommera parfois, mais Toussaint « à Breda », du nom de la propriété, de l'« *habitation* », à laquelle il appartient.

Son maître l'encourage à apprendre à lire « *le papier qui parle* » et à écrire. Il en fait son cocher, puis le contremaître (le « *commandeur* ») de la plantation. Affranchi en 1776, Toussaint fait pousser du café et commence par... avoir 13 esclaves ! Ça peut étonner, mais, à l'époque, ça se passe souvent comme ça à Saint-Domingue. Pour être libre, « *maître de son corps et de ses enfants* », presque pas d'autre solution que d'être soi-même esclavagiste !

Toussaint bâtit tranquillement une petite fortune, mais choisit le camp des esclaves quand, en 1791, éclate la révolte du Bois-Caïman, une sorte de prise de la Bastille aux Caraïbes. Dix jours d'émeutes, 1 000 Blancs tués, 1 400 plantations ravagées par le feu... Les esclaves veulent la liberté, s'inspirent des idées de la Révolution française, qui en a de belles, avec « *ses principes d'égalité et de fraternité aux hommes noirs, ses frères* », mais tarde à les appliquer dans ses colonies. Pour Toussaint, ça n'est pas si grave, il prendra lui aussi son temps. Ce n'est pas un jeunot (il a déjà 52 ans) et voit loin...

Il ne tarde cependant pas à devenir l'aide de camp d'un chef des rebelles de Bois-Caïman. Celui-ci s'est allié au roi d'Espagne, ayant colonisé une autre partie de l'île, dans

TOUSSAINT LOUVERTURE
(1743-1803), esclave affranchi, a lutté
pour la liberté de tous les Noirs et a déclaré
l'indépendance d'Haïti, colonie française.
Il est mort enfermé dans une prison de Napoléon.

« Tous les hommes naissent libres et égaux en droits », proclame la France lors de la Révolution de 1789 ! Tous ? Pas tout à fait. Tandis que les femmes restent privées du droit de vote, le nouveau pouvoir ne s'attaque pas à la question de l'esclavage. Il redoute, s'il abolit l'esclavage, de perdre le soutien des propriétaires des Îles. L'abolition est enfin votée en 1794 : pour calmer la révolte montante des Noirs et les rallier aux idées de la Révolution, menacée par les monarchies d'Europe, qui combattent la France y compris dans ses colonies. Mais, dès 1802, Napoléon Bonaparte rétablit l'esclavage pour contenter les propriétaires. Il faut attendre la révolution de 1848 pour qu'il soit définitivement aboli en France.

l'espoir que ce roi abolisse l'esclavage. Toussaint apprend l'art militaire, se retrouve à la tête de 3 000 hommes, gagne des batailles et du galon. Le voilà, alléluia (c'est un catholique fervent), général des armées !

Son heure a sonné. Il se proclame leader noir : *« J'ai entrepris la vengeance de ma race ! Unissez-vous, frères, et combattez avec moi pour la même cause »*, lance-t-il le 29 août 1793. *« Déracinez avec moi l'arbre de l'esclavage ! »* Il est alors l'avenir, l'« ouverture » pour les Noirs, on le surnommera donc *Louverture*. Le même jour, le gouvernement de la République française émancipe les esclaves français, puis en 1794 abolit enfin l'esclavage.

Toussaint Louverture se rallie aux Français, n'hésite pas à retourner son armée contre ses anciens alliés espagnols (il finira par les chasser de Saint-Domingue, tout comme les Anglais, eux aussi en guerre avec la France), et vole de victoire en victoire, raflant au passage le titre de général de division en 1796. On ne l'arrête plus. Durant trois ans, il est sur tous les fronts, avec son armée de 51 000 hommes (dont 3 000 Blancs).

Il est aussi très fort contre ses rivaux. Habile, aimant le secret, Louverture ne s'encombre pas de scrupules : il rétablit en 1800 le travail forcé des Noirs au prétexte de relever l'économie de l'île, et avec des « règles militaires » ! Il frappe les insoumis, fait fusiller 13 meneurs de sanglantes révoltes, dont son propre neveu, le général Moïse.

Ensuite, l'ancien esclave rebelle Louverture se prend carrément pour le Napoléon des Îles. Il rappelle à Saint-Domingue ses ex-ennemis, les propriétaires esclavagistes. Dans la foulée, il se proclame gouverneur à vie, avec les pleins pouvoirs. Excusez du peu... Il édicte une Constitution, mais s'occupe assez mal du pays, devra même reconnaître l'un de ses grands admirateurs, Victor Schœlcher.

En France, il y en a un que tout cela exaspère au plus haut point : Napoléon, l'autre, le Blanc, qui est en train de récupérer tout le pouvoir pour lui seul... D'autant qu'on lui rapporte que ce fameux Louverture dort encore moins que lui (deux heures, par nuit) ! Pis encore, la femme de Napoléon, Joséphine de Beauharnais, la négrière, fille d'un colon des Îles, lui susurre à l'oreille que la France va être privée d'une colonie qui rapporte gros si elle perd Saint-Domingue ! Napoléon expédie son beau-frère et une armée combattre Louverture, qui se retrouve vite en bien mauvaise posture. Malgré un traité de paix en mai 1802, et la promesse (non tenue) de ne pas rétablir l'esclavage, Toussaint et sa famille adorée sont emprisonnés pour rébellion, et amenés en France. Louverture se retrouve derrière les barreaux et séparé des siens.

L'homme qui voulut libérer les Noirs meurt huit mois plus tard, en avril 1803, au fond de la forteresse de Joux, dans le Jura, d'une pneumonie due au froid. On a voulu le faire disparaître à jamais, mais bien trop tard et après bien trop de sang versé... Un an après, son île gagnait l'indépendance. Il avait ouvert une sacrée brèche, Louverture !

Africains déportés comme esclaves en Amérique

Victor Schœlcher, riche commerçant, est à Cuba en 1830, lorsqu'il assiste, sidéré, à la vente d'hommes sur des marchés... De retour en France, il dénonce vivement l'esclavage sévissant dans les colonies. En 1848, la France est à nouveau en révolution, et Schœlcher entre dans le gouvernement républicain, au service du ministre de la Marine, François Arago, célèbre scientifique. Les esclaves noirs ou métis des Antilles, de La Réunion, de Guyane ou de ports tels que Saint-Louis du Sénégal deviennent enfin libres ! Schœlcher, élu député en Martinique puis sénateur, milite avec moins de succès contre la peine de mort. *« Schœlcher, un homme dont chaque mot est encore une balle explosive »*, écrira, au xxᵉ siècle, Aimé Césaire, grand poète des Antilles.

Ludwig van Beethoven

Une symphonie pour Bonaparte...
Le musicien a composé
pour le militaire. Beethoven
admire en Bonaparte l'homme
de la Révolution française. Pour
lui, c'est le porteur d'un message
de liberté et le défenseur des
droits de l'homme. Mais lorsqu'en
1804, Bonaparte se fait proclamer
empereur, Beethoven déchante :
il est déçu de voir son héros virer
au tyran. Il débaptise alors sa
3e symphonie, qu'il avait appelée
Symphonie Bonaparte : elle devient la
Symphonie héroïque... « *pour célébrer
le souvenir d'un grand homme* ».
Pourtant, le pouvoir fascine le
compositeur. En 1815, il touchera
à la gloire en jouant ses œuvres
devant toutes les têtes couronnées
d'Europe.

Pas simple le Beethoven... Comme quoi, on a beau dire, le génie ne rime pas avec bonheur. Surtout lorsque l'on naît van Beethoven, et qu'avant de devenir un immense compositeur et un ours définitivement grognon, on est le petit Ludwig.

Dans la famille, on est musicien de père en fils. Ludwig adore son grand-père, maître de chapelle à la cour de Saxe, mais pas de chance, le pépé meurt quand il n'a que 3 ans. Sa mère, malade, ne peut s'occuper de lui, tandis que son père, musicien et ténor (mais aussi tyrannique et alcoolique) s'en occupe un peu trop. Ludwig n'a que 4 ans quand son père commence à le réveiller la nuit pour lui faire travailler son piano ou son violon, lorsqu'il ne l'enferme pas à la cave.

Le fils a du talent, mais un voisin raconte que le père déteste l'entendre improviser : « *Tu racles encore des bêtises à tort et à travers, tu sais que je ne le supporte pas ; racle avec la partition, sans quoi ça ne te servira pas beaucoup de racler.* » Ça l'agace aussi que Ludwig, nul à l'école, soit un jeune prodige musical. Allez comprendre...

Mais comme il sait compter, le père saisit vite que le talent de son fils de 7 ans peut lui rapporter gros, et le présente à la Cour, en le rajeunissant d'un an. Malgré cette initiation peu engageante, le grand Beethoven affirmera que si, si, la musique peut adoucir les mœurs et apporter le bonheur.

En attendant, déjà fâché avec le monde, le petit se perd dans « *des rêveries si belles et si prenantes* », dit-il, qu'« *il ne supporte pas de s'en retrancher* ». Il se met tôt à l'écart des autres. Pourtant, devenu célèbre, le compositeur Beethoven sera affamé d'honneurs et de compliments, tout en voulant être

LUDWIG VAN BEETHOVEN
(1770-1827), Allemand, est le premier
musicien à vivre de son art sans dépendre des
grands de ce monde. Il a ouvert l'orchestre
à de nouveaux instruments et reste l'un des
compositeurs les plus joués au monde.

« Vous, hommes qui me tenez pour hostile, entêté, misanthrope… à quel point vous me faites tort ! » Beethoven a composé presque toute sa musique de mémoire, car il est devenu sourd, ce qu'il a longtemps caché, sauf aux plus intimes. À un ami, il confie : *« Je veux saisir le destin à la gueule. Il ne réussira pas à me courber tout à fait. »* Cependant, dans une lettre célèbre datée de 1802, il témoigne de la détresse occasionnée par son handicap : *« D'année en année, déçu par l'espoir d'une amélioration, né avec un tempérament plein de feu et de vie, accessible même aux distractions de la société, j'ai dû m'isoler de bonne heure, vivre en solitaire, loin du monde. »*

aimé pour lui-même, et non pour son génie. Pas simple… Asocial et malpoli, Beethoven est capable de se lever et de partir de chez des amis au milieu d'un repas. Il enverra des quantités d'interminables billets d'excuses.

Sa première œuvre, Ludwig van Beethoven la publie à 12 ans. À 14, c'est déjà un « pro » et il en a 17 lorsque, hourra !, il découvre Vienne, la Mecque du piano et du violon ! Mozart, l'entendant, aurait commenté, surtout, *« ne le perdez pas de vue »*. Il suit les leçons du grand Haydn. (Mais le courant ne passe pas : l'élève exaspère tant le maître que celui-ci le surnomme le *« Grand Moghol »*.) Bref, on se dit que, globalement, c'est en train de s'arranger entre Beethoven et le monde. Et puis, non… Finalement, ça ne s'améliorera pas beaucoup.

L'artiste sera applaudi dans toute l'Europe, mais de là à être heureux… Farouchement indépendant, il acceptera cependant l'argent des riches et des puissants. Même s'ils l'agacent, il leur dédicacera ses œuvres les plus prenantes. Une fois la gloire arrivée, l'ours mal léché jouera de l'insolence. À un de ses riches soutiens : *« Prince, ce que vous êtes, vous l'êtes par le hasard de la naissance, ce que je suis, je le suis par moi ; des princes, il y en a et il y en aura encore des milliers ; il n'y aura qu'un Beethoven. »*

Avec son sens très sûr de la contradiction, il souhaitera la paix en Europe, mais c'est de guerriers et de despotes qu'il se sentira le plus proche. Eux seuls, avec leurs tonitruantes destinées, le fascineront. Exemple : Napoléon. Il lui dédiera sa fameuse *Symphonie héroïque*… avant de changer d'avis et de s'affliger lorsque les Français occuperont Vienne (*« Quelle vie sauvage, que de ruines autour de moi ! Rien* que tambours, trompettes, et misères de toute sorte ! »).

Enfin, cerise sur le gâteau, le musicien va devenir sourd à 26 ans. C'est pousser un peu loin la différence... Cette souffrance secrète le conduira au bord du suicide. *« Pourtant il ne m'était pas possible de dire aux gens : "Parlez plus fort, criez, je suis sourd" »*, racontera-t-il à ses frères Johann et Karl dans une dernière lettre.

Des années à balancer entre douleur et extase, entre mégalomanie et haine de soi, lui auront définitivement forgé l'âme romantique. Il est à la fois le dernier compositeur classique (virevoltant à la perfection sur les lois), et le premier romantique, révolutionnant la partie, avec sa liberté d'expression, son goût du fantastique et de la légende.

Hirsute et crasseux comme un peigne, il a créé de bouleversantes œuvres poétiques, nées de rêveries sous les pommiers (*Symphonie pastorale*) ou sous les étoiles (*sonate Au clair de lune*), en pensant à l'aimée Giulietta, qui préférera épouser un comte. C'est aussi l'homme de tempétueuses envolées, telle sa fameuse 5ᵉ, la Pom pom pom pom symphonie. Il a écrit 32 sonates pour piano, 10 pour violon et piano, des concertos, 9 symphonies, une messe... Un sacré numéro, le Beethoven !

Il meurt, à la suite d'un simple coup de froid, le 26 mars 1827. Mais, raconte-on, tandis qu'un orage se déchaînait soudainement, l'agonisant s'est assis sur son lit et a brandi son poing vers le ciel avant de s'éteindre. C'était donc une colère impossible à rassasier... Au moins, Pom pom pom pom, il aura été entendu.

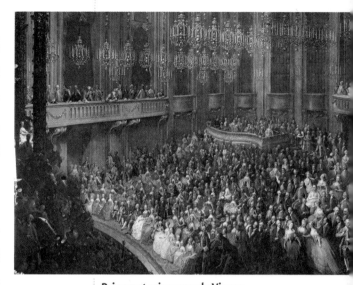

Princes et princesses de Vienne se disputent Beethoven, ses talents de pianiste, ses créations étonnantes pour faire briller leurs salons. L'artiste apprend vite à tirer parti de son succès, promettant par exemple de dédicacer sa prochaine œuvre... à deux mécènes différents. En 1809, il feint d'accepter une invitation à s'installer loin de Vienne et donne un grand « concert d'adieu ». Pour qu'il ne parte pas, trois princes lui offrent par contrat un salaire important, versé à vie... Avant lui, même les illustres Bach, Mozart ou Haydn dépendaient de plus riches qu'eux pour vivre, sans aucune garantie, mais avec des devoirs. Beethoven est le premier compositeur vraiment indépendant.

SIMON BOLIVAR

6 août 1813 : dans les rues de Caracas qui l'acclame, le victorieux, noble et blanc général Bolivar saute de cheval et se jette au cou d'une femme noire. Il vient de reconnaître Hippolyta, l'esclave qui l'a élevé. Et, ce n'est pas un gradé d'opérette maracas-et-mariachis, ce général, mais le *Libertador* en personne ! Le plus célèbre des soldats qui ont libéré l'Amérique latine des Espagnols, installés là depuis Christophe Colomb. En réalité, il s'appelle Simon José Antonio de la Santisima Trinidad Bolivar y Palacios, mais on dit Simon Bolivar, c'est plus pratique.

Un tel homme ne pouvait oublier l'esclave Hippolyta qui le dorlotait, lorsqu'il vivait avec son oncle détesté, le petit Bolivar ayant débuté dans la vie comme orphelin : à 3 ans, plus de papa, et à 10, plus de maman. C'est peut-être pourquoi il exigera, bien plus tard, le 2 juin 1816 *« la liberté absolue aux esclaves »*.

Avant d'en arriver là, il faut une existence, qui file comme un roman. Sans repères, le petit Bolivar fugue *« vers les quartiers populeux, où il traîne en compagnie d'enfants déguenillés »*. Mais, démontrant déjà un certain sens du pouvoir, il a charmé l'évêque de Caracas. Un soir, où Simon disparaît, monseigneur lui-même intervient pour qu'il ne soit point grondé.

C'est un rapide, le Simon. À 16 ans, il s'embarque pour l'Europe, avec le grade de lieutenant de l'armée du roi d'Espagne. Et, voilà que, reçu à la Cour, il donne (bien involontairement) un coup de chistera de pelote basque à l'infant, le futur roi Ferdinand VII. Ce n'est rien à côté de ce qu'il lui infligera plus tard en lui confisquant ses colonies, mais pour l'heure Ferdinand prend la chose fort mal.

Après la découverte de l'Amérique, son or, son argent, sa richesse sont vite accaparés par les monarchies européennes qui se partagent le continent. Le Nord revient à la France et à l'Angleterre. Au sud, le brillant empire des Indiens Incas ne résiste pas longtemps aux Espagnols, qui les massacrent ou les contraignent au travail forcé. Plus que les armes à feu, les maladies venues d'Europe (grippe, choléra ou rougeole) font périr 9 habitants sur 10. Jusqu'au XVIIIᵉ siècle, on fait venir des esclaves noirs d'Afrique. Après l'indépendance des États-Unis, au nord, Bolivar lutte contre l'Espagne, au sud. Ses troupes libèrent le Venezuela, en 1813, puis la Colombie, l'Équateur et, enfin, le Pérou en 1824. Mais aujourd'hui encore, les descendants d'Européens, comme l'était Bolivar, monopolisent le pouvoir.

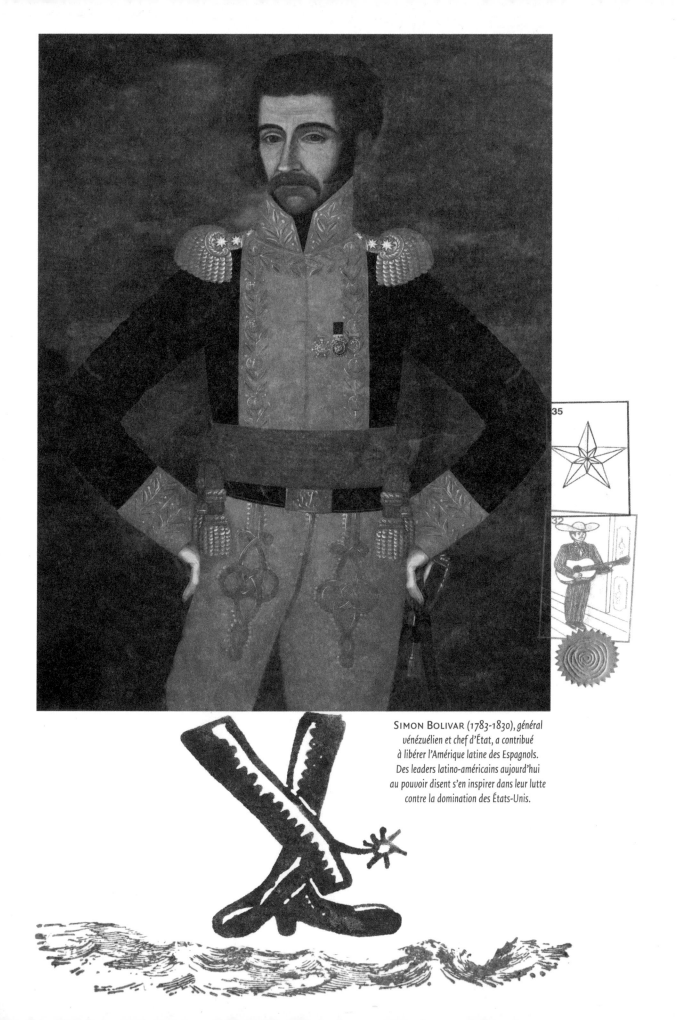

SIMON BOLIVAR (1783-1830), *général vénézuélien et chef d'État, a contribué à libérer l'Amérique latine des Espagnols. Des leaders latino-américains aujourd'hui au pouvoir disent s'en inspirer dans leur lutte contre la domination des États-Unis.*

Le temps des *caudillos*. Dans leur lutte pour l'indépendance, les révolutionnaires de toutes les régions d'Amérique du Sud sont unis contre les troupes restées fidèles à la couronne d'Espagne. Des colonnes de soldats venus de l'est du continent (Rio de la Plata) aident à la libération de l'Ouest (du Chili ou du Pérou), des révolutionnaires vénézuéliens franchissent la cordillère des Andes pour chasser les Espagnols des régions de Bogota, de Quito et même de Bolivie. Les plus idéalistes espèrent fonder un seul pays. Mais, très vite, non seulement chaque région s'isole de ses voisines, mais les pays nés de l'indépendance tombent sous la domination d'un chef de guerre, d'un *caudillo*, qui exerce un pouvoir despotique.

Conquérants espagnols et Indiens Aztèques, image du XVIᵉ siècle

« *Sa mère, la reine, eut beau lui dire de ne pas se rendre ridicule et de continuer à jouer, les spectateurs durent intervenir pour éviter une bataille en règle.* »

À 17 ans, Simon est amoureux. On l'éloigne de sa belle, mais il revient un an après l'épouser manu militari, avant de rentrer au Venezuela. Puis il réapparaît en France, assiste au sacre de Napoléon Iᵉʳ, qui le fascine, mais qu'il qualifie de « *tyran hypocrite* ». Il s'agite à un train d'enfer, prenant tout de même le temps de causer politique avec le célèbre voyageur Humboldt, qui connaît tout ou presque de l'Amérique latine. Celui-ci assène à Bolivar : « *Je crois votre pays mûr pour l'indépendance, mais où se trouve l'homme assez fort pour mener à bien une telle entreprise ?* ». Message reçu par Bolivar. Pas de problème ! Je suis là !

En 1805, à Rome, grimpé au sommet de l'Aventin (tout un symbole), il jure : « *Je ne laisserai ni répit à mon bras ni repos à mon âme, tant que je n'aurai pas brisé les chaînes qui nous oppriment par la volonté du pouvoir espagnol !* » Bon, ce n'est pas le tout de promettre... Retour au pays !

Mais l'Amérique latine, c'est vaste, et la libérer n'est pas facile, facile... Durant quelques années, les alliances se font et se défont, les victoires succèdent aux exils. En bref, le futur *Libertador* rencontre du monde et voit du pays. En 1819, il lance une folle campagne contre les Espagnols.

« *Où passe une chèvre, une armée passera* », dit-il à ses hommes, avant de traverser les Andes, culminer à 4 000 mètres, faire rendre l'âme au dernier de ses chevaux et battre l'ennemi. Ouf ! Il a aussi pris soin, le malin, d'écarter la concurrence en livrant un de ses ex-chefs. Hélas, ça ne va pas s'arranger.

S'il a libéré presque toute l'Amérique latine, *caramba !* et a aboli l'esclavage (d'où le mythe mérité), une fois investi des pleins pouvoirs, Bolivar vire au dictateur. Et ça dure, vingt ans... Président à vie du Venezuela, dictateur du Pérou, protecteur des plus riches, opposé au droit de vote des illettrés, mendiants, domestiques et ouvriers, il donne même son propre nom à la Bolivie. Fermez le ban !

Forcément, vient son tour d'essuyer les révoltes, dont celle du général Paez au Venezuela, à qui Bolivar écrit : « *Qui viendra m'arracher les rênes du pouvoir ? Qu'ont donc tous les Vénézuéliens qu'ils ne me doivent ? Il n'y a pas d'autorité légitime au Venezuela en dehors de la mienne.* » Olé ! Mais il a beau dire, ça chauffe pour lui, et sa maîtresse doit l'aider à s'enfuir devenant ainsi, en quelque sorte, la « *Libertadora del Libertador* ».

Bolivar s'exile sur une île, où l'attend, fatale, une tuberculose qui le terrasse. Depuis, entouré de saints catholiques, il est devenu la grande figure d'un culte pratiqué par les descendants d'esclaves.

Un avocat indien lui avait prédit : « *Votre gloire grandira avec les siècles tout comme l'ombre s'étend quand le soleil se couche.* » Bien vu. Sur la fin de sa vie, le *Libertador* avait conclu, pessimiste pour l'avenir de l'Amérique latine, qu'il voyait en proie à de futurs tyrans : « *J'ai labouré la mer.* » Bien vu aussi.

Des personnalités d'un troisième type arrivent aujourd'hui au pouvoir en Amérique du Sud, sans avoir le « profil type » de chef d'État, à savoir une origine européenne, une famille favorisée, une jeunesse studieuse dans les universités d'Amérique, suivie d'une carrière dans de puissants partis politiques. En 2006, la Bolivie élit président Evo Morales, un Indien Aymara, qui n'a pas fait d'études supérieures. Une vraie bombe sur un continent où les Indiens, dominés par les descendants de colons européens, restent nombreux enfermés dans l'analphabétisme et la pauvreté. Au Brésil, l'ancien syndicaliste Lula est élu en 2002. Au Venezuela, Hugo Chavez, devenu président en 1999, oriente son pays vers ce qu'il appelle le « socialisme du XXIe siècle », se revendiquant de l'héritage de Simon Bolivar.

NED LUDD

Dans la région de la forêt de Sherwood, comté du shérif de Nottingham et berceau de Robin des bois, la gazette locale, la *Nottingham Review*, rapporte que, le 20 novembre 1811, le jeune apprenti Ned Ludd, employé chez un tricoteur de bas, a cassé au marteau un métier à tisser, propriété de son patron.

Sept siècles après le Robin, ses flèches, sa cible et ses rapines, Ned ne sait pas qu'il vient sur un simple coup de colère et de marteau « Enoch » (le modèle préféré des forgerons) d'embraser toute la région de Nottingham... Où bat le cœur de l'industrie britannique, la plus puissante au monde, où des dizaines de milliers d'ouvriers survivent dans la misère...

De novembre 1811 à janvier 1813, suivant l'exemple de Ned Ludd, des milliers d'ouvriers réduisent en miettes et au marteau les métiers à tisser que leurs patrons viennent d'installer. Du matériel tout neuf ! Des modèles certes un peu cher à l'achat, mais au final *« so profitable »* pour les patrons puisque, souvent actionnés à la vapeur, ils remplacent les hommes. La colère des révoltés, promis par les machines au mieux à des salaires plus bas, au pis à la case chômage, se déchaîne.

Ont fini en morceaux 1 200 métiers « à tricoter les bas », 50 métiers à dentelle, 50 métiers à tisser à bobines, 250 kilos de draps, une dizaine de fabriques, autant de maisons et de magasins. Faites l'addition et vous verrez ! Il y en a, *oh my God !*, pour plus de 108 000 livres. *For example*, à l'époque, les soldats gagnent 29 livres en un an. Et justement puisqu'on en parle, les voilà, les soldats... Il faudra que Sa Majesté en

NED LUDD (1811),
*personnage mythique de l'opposition
à la révolution industrielle britannique au
XIXe siècle, aurait, par son exemple, entraîné
des milliers d'ouvriers à briser les machines,
les privant de travail. Aujourd'hui, des
opposants à notre société hypertechnologique
s'en inspirent et s'appellent
« néoluddites ».*

Une voiture qui roule à 4 km/h...

Des penseurs d'aujourd'hui critiquent la façon de vivre que la société industrielle et de consommation impose à beaucoup : chômage, pollution, perte du sens de l'existence. L'un d'eux a démontré que pour aller une fois par an de Paris à Marseille avec sa voiture, on roule en réalité à 4 km/h, et non à la vitesse qu'affiche le compteur. On obtient cette moyenne en considérant le temps passé pendant un an à travailler pour avoir l'argent nécessaire à l'achat et l'entretien de sa voiture : un an... pour gagner les quelques jours que prenait auparavant un Paris-Marseille. Les « néoluddites » rejettent ces principes du « toujours plus », « toujours plus vite ».

Des céréales stériles aux systèmes informatiques déficients...

Les « néo-luddites » questionnent le clonage, les biotechnologies... Récemment encore, par exemple, un agriculteur semait le blé de l'année suivante avec des graines issues de la récolte de l'année. Aujourd'hui, on vend des semences « verrouillées ». Elles produisent sur un an une récolte plus abondante, mais sont stériles, incapables de germer l'année suivante. Résultat : l'agriculteur doit désormais chaque année racheter des semences et dépend des industriels. En 1995, à New York, le néoluddite Kirkpatrick Sale brise un ordinateur devant 1 500 personnes. À sa suite, certains démontrent, en les « crackant » que les systèmes informatiques, utilisés au prétexte de plus d'efficacité et de sécurité, ne sont pas fiables.

mobilise plus 10 000, au total, pour ramener le calme *in emergency*, tandis qu'au Parlement on se dépêche de voter la peine de mort pour les destructeurs de machines.

On cause bris de machines jusque dans les salons, les poètes s'en mêlent. L'un d'eux, un mauvais, oublié depuis, déclame : « *Le pays est maintenant à l'état le plus dramatique qu'on puisse concevoir, une insurrection des pauvres contre les riches. Les choses en sont à un tel point que seule l'armée peut nous en préserver.* » De son côté, l'écrivain lord Byron, un grand celui-là, ironise, amer : « *On a plus vite fait des hommes que des machines, et les bas de laine rapportent plus que les vies... À Sherwood les gibets embelliront les collines, signe que, comme le commerce, la liberté fleurit* ». Des propos prémonitoires...

Ned n'a pourtant donné qu'un coup de marteau, assorti il est vrai d'une vraie colère, ce qui aide toujours, tout seul dans son coin. Mais c'est sous son nom que les émeutiers mènent leurs équipées (parfois en une nuit et par centaines, déguisés pour ne pas être identifiés), envoient des lettres de menaces, impriment des affiches. Ils signent « *King Ludd* » ou « *Captain Ludd* ». Un vrai mystère.

Le mouvement se répand : des métiers à tisser, on remonte la chaîne de production jusqu'aux tondeuses à bestiaux. D'ici à ce que les moutons s'y mettent... En mars 1812, mister Smith, qui a une usine de bonnets à Hill End, reçoit, comme chaque patron avant l'attaque, un dernier avertissement de King Ludd. C'est le petit côté chevaleresque de l'affaire, la loyauté, étant une tradition locale : « *Nous venons d'être informés que vous possédez ces détestables tondeuses mécaniques...*

Si elles ne sont pas démolies dès la fin de la semaine prochaine, je détacherai un de mes lieutenants et au moins 300 hommes pour venir les détruire... Si vous nous obligez à faire toute cette route, nous augmenterons votre malheur, en réduisant vos bâtiments en cendres et, si vous avez l'impudence de faire feu sur l'un de mes hommes, sachez qu'ils auront l'ordre de vous assassiner et de brûler votre logis. » Qu'on se le tienne pour dit... Dénouement : tout sera réprimé par l'armée. Côté émeutiers, le bilan est lourd : des dizaines de condamnés à la pendaison et au bagne d'Australie. Le plus étonnant de tout est que, malgré leurs recherches, les historiens ne savent toujours pas si Ned Ludd a vraiment existé. Un peu comme pour Robin des bois...

Plus fort encore, au XXI⁰ siècle, des révoltés contre l'industrie ou la finance, des commandos de faucheurs de plantes génétiquement modifiées, des écologistes de tout poil ,mais aussi de respectés écrivains et penseurs revendiquent l'exemple de Ned Ludd.

Après Robin des bois et sa flèche, Ned Ludd et son marteau, qui sait ce qui se trame en ce moment du côté de la forêt de Sherwood ?

La « révolution industrielle » : ainsi est appelé le bouleversement qu'a vécu l'Europe au XIXᵉ siècle, grâce aux bénéfices du commerce et à de nouvelles machines activées par l'énergie du charbon. Les usines fabriquent des produits en quantité. Les innovations techniques gagnent la campagne : il faut moins de bras pour travailler la terre. Le continent se couvre du chemin de fer, récemment inventé. Les paysans les plus pauvres vont travailler en ville, en usine, à des tâches épuisantes et mal payées. Non qualifiés, ils ont peu d'espoir de voir changer leur vie. Ce début de l'âge d'or du capitalisme est si rude que les États décident de protéger les enfants. En 1802, en Angleterre, leur journée de travail est théoriquement réduite à douze heures. En 1841, la France interdit le travail aux moins de 8 ans.

Un ouvrier des mines, en Angleterre, au XIXᵉ siècle

LOUIS AUGUSTE BLANQUI

« *La lutte jusqu'à extinction* »,
« *la lutte toujours, la lutte quand
même* », ainsi Blanqui définit-il
« *le devoir d'un révolutionnaire* ». Il est
la grande figure des premiers temps
du socialisme. Pour lui, un petit
groupe, agissant dans l'ombre et
la clandestinité, doit entraîner tout
le peuple vers la révolution. Blanqui
a inspiré le monde ouvrier français.
C'est le prisonnier du pays qui a
subi la plus longue incarcération
pour ses opinions. On le craint tant
que, au moment de l'insurrection
de la Commune en 1871, le
gouvernement qui l'a emprisonné,
refuse aux révolutionnaires de
l'échanger… contre 74 otages
de son camp (dont l'archevêque
de Paris, finalement fusillé). Selon,
le chef du gouvernement, « *rendre
Blanqui à l'insurrection équivaut
à lui envoyer un régiment* » !

Il a vécu 76 ans, en a passé 33 en prison, a connu 44 années de persécution. A survécu à tous les gouvernements, a combattu deux monarchies et un empire, s'est associé aux trois révolutions du siècle, a aussi tenté quelques coups d'État. Résultat : il a visité 30 prisons françaises. Ce n'est pas tout, il a aussi levé sa propre armée d'ouvriers de 800 âmes.

Pourtant, si l'on se souvient de Blanqui et de ses copains, c'est parce que des boulevards et des stations de métro portent leurs noms : Barbès, Raspail, Louise Michel…

Un vrai phénomène, ce Blanqui. Oyez bourgeois, et tremblez qu'il ne revienne, les armes à la main, pour construire avec le peuple une société nouvelle. Incorrigible, irrécupérable, increvable !

Blanqui, c'est le Trotski français, sans le képi du ministre de la Guerre russe et moins les monceaux de morts ; c'est l'héritier des plus indomptables sans-culottes de 1789, sans la tête coupée. C'est un tenace orateur, maigre, les yeux fiévreux, habité par la révolution, proclamant « *un peu de passion, et les doctrines plus tard !* ». Il en effraie plus d'un. C'est aussi le veuf inconsolable d'une femme bien plus jeune que lui.

Blanqui, c'est d'abord Louis Auguste, « *joli petit enfant blond* » d'une famille peu ordinaire, de dix bambins. Papa a été député sous la Révolution française, avant d'être emprisonné. Petite, maman allait visiter les prisonniers, c'est ainsi qu'elle a rencontré papa.

Blanqui, c'est un jeune surdoué. Il ne peut descendre de la tribune tous les livres qu'il reçoit lors de la remise de

LOUIS AUGUSTE
BLANQUI
(1805-1881), Français, « premier
révolutionnaire professionnel »,
veut organiser les ouvriers les plus démunis
en force politique et faire de l'idéal
égalité une réalité concrète.

La Révolution au long cours... Les acquis de 1789 restent fragiles et la France connaît une agitation durant tout le XIXᵉ siècle. Deux empires, ceux de Napoléon Iᵉʳ et Napoléon III, encadrent le siècle. La France vit entre-temps une alternance de régimes monarchiques de plus en plus souples, et de régimes républicains, qui se mettent en place à la suite de mouvements révolutionnaires. Cela dure jusqu'en 1871, où la République s'enracine finalement. Des hommes et des femmes ont lutté pour cela. Les plus radicaux d'entre ces révolutionnaires, tels Blanqui ou Louise Michel, veulent abattre les inégalités et prônent l'insurrection. Leur but : qu'advienne une nouvelle révolution sociale, qui confierait le pouvoir au peuple, supprimerait la misère ou l'exploitation par un juste partage des richesses.

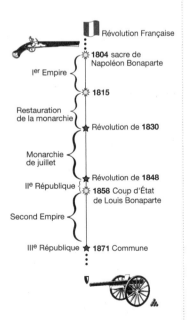

Révolution Française

1804 sacre de Napoléon Bonaparte

Iᵉʳ Empire

1815

Restauration de la monarchie

Révolution de **1830**

Monarchie de juillet

Révolution de **1848**

IIᵉ République — **1858** Coup d'État de Louis Bonaparte

Second Empire

IIIᵉ République — **1871** Commune

récompenses en fin de seconde : vingt-cinq ! C'est un adolescent, qui se soucie de l'éducation de ses frères et sœurs que maman, devenue frivole, et papa, occupé ailleurs, délaissent. C'est aussi le garçon de 17 ans qui milite contre le supplice donné à quatre soldats innocents en 1822.

C'est un fou d'égalité et de justice. C'est un manifestant infatigable, un assaillant couvert de cicatrices et de blessures : deux coups de sabre, une balle dans le cou. Et, ce type, « *dévorateur de jardins, ruminant au physique et au moral* », ne boit que de l'eau, n'aime que les légumes. Il dort « *les fenêtres ouvertes, son lit le plus possible approché du dehors et la neige tombant en plein sur ses couvertures* » !

Blanqui, c'est de l'estomac : non seulement il parcourt sac au dos les Alpes, le midi de la France et l'Espagne, mais il nie tout, attaque tout, critique tout, dénonce même parfois ceux qui dévient de sa cause.

Il est LA révolution, ne cesse de le clamer. « *Les balles frapperont jusqu'à ce qu'il n'y ait plus debout un seul ennemi de la liberté et du bonheur du peuple.* » Blanqui, c'est l'increvable membre ou fondateur de journaux et de sociétés secrètes... C'est l'auteur de *Instructions pour une prise d'armes*, véritable manuel de guérilla en ville. C'est le « *premier à n'avoir d'autre carrière que le renversement des institutions existantes* ». C'est un être comme l'Histoire en offre rarement. Ouf !

Non... toujours plus fort (en vrac toujours car l'ordre, c'est pas son truc) : Blanqui rime avec expulsé de l'école de droit, délit de presse, complot contre la sûreté de l'État, fabrication d'explosifs.

Blanqui, c'est le petit teigneux d'un mètre cinquante-neuf qui a été contre la monarchie quel que soit le roi et contre l'empire de Napoléon III. C'est un pur, un pro : pro-République, pro-liberté, pro-peuple, pro-insurrection, pro-éducation pour tous.

On l'a surnommé l'« Enfermé ». Condamné à mort, gracié, condamné à perpétuité, gracié, repris s'évadant déguisé en femme (avec perruque et chapeau), la veille de sa libération... Pensionnaire des pires geôliers, on lui interdit de regarder par la fenêtre de sa cellule du Mont Saint-Michel, et on l'isolera tant qu'il aurait pu en devenir fou !

D'autant qu'il rate les deux plus grands soulèvements du siècle : la révolution de 1848 et la Commune de Paris. À chaque fois, les autorités, qui le craignent, ont eu la prudence de le mettre à l'ombre au premier mouvement de révolte (dont il était, bien sûr !). Mais même la tuberculose n'aura pas sa peau ! Blanqui résiste à tout. Il fascine. Ses adversaires décrivent une « *bête fauve qui a soif de sang* ». Le prolétariat, qu'il défend bec et ongles, l'adore. Deux mois avant sa libération en juin 1879, il est même élu (dans sa prison, élection annulée, évidemment). Quelque temps avant sa mort, il crée un dernier journal, dont le titre est devenu la devise libertaire du monde entier : « *Ni Dieu ni maître !* »

Ah oui... Il a même été condamné pour « *atteinte à la tranquillité publique* » !

Travail du métal en usine, au XIXᵉ siècle

Karl Marx, l'incontournable penseur du XIXᵉ siècle. Impossible aujourd'hui encore d'interpréter l'organisation des sociétés sans s'appuyer sur les idées de Karl Marx ou les récuser. Il affirme que l'Histoire obéit à une loi : « la lutte des classes », qui oppose ceux qui possèdent richesses et avantages à ceux qui ont peu ou rien. On appelle, à cette époque, les plus pauvres et démunis, le « peuple » ou les « prolétaires ». Le terme est issu d'un mot latin, qui désignait à Rome les citoyens n'ayant pour richesses que leurs enfants, à éventuellement envoyer à l'armée. Marx dénonce l'exploitation faite du travail des prolétaires par de plus privilégiés. Il pense que ces prolétaires, qui sont la majorité, ont la mission de libérer l'humanité par une révolution de la société.

GEORGE SAND

Les enfants terribles deviennent parfois de sacrés adultes. Et moi, Amandine, Aurore, Lucile Dupin, parce que j'ai toujours détesté être contrariée, je suis devenue un illustre écrivain, la grande George Sand (oui : George, un prénom masculin, mais sans « s », je vous prie).

Dès 4 ans, j'invente des histoires et des fables, pratique l'insolence et les farces. Je donne aussi dans les idées saugrenues. Un jour, je me persuade que j'ai un double qui me parle (en réalité, c'était l'écho !) : « J'en conclus que toutes choses et toutes gens avaient leur reflet, leur double, leur autre moi, et je souhaitais vivement de voir le mien. » Forcément, ces choses-là m'aiguisent l'intelligence. Elles m'aident aussi à supporter ces précepteurs fatigants, que recrute ma grand-mère, chez qui je vis à Nohant, dans le Berry. Depuis que mon militaire de papa est mort, ma grand-mère, qui est riche et déteste maman, pas assez chic et trop pauvre !, m'a en quelque sorte « achetée ». Heureusement que je suis là d'ailleurs... Comme je ressemble à mon papa, elle « dit "mon fils" en parlant de moi ».

Avec ma grand-mère, on ne s'amuse pas beaucoup : « Il ne fallait plus se rouler par terre, rire bruyamment, parler berrichon. Il fallait se tenir droite, porter des gants, faire silence ou chuchoter bien bas. » Un danger me guette : « Quand elle m'ordonnait de n'être à ses côtés ni agitée ni bruyante, il me semblait qu'elle me commandât d'être morte. »

Pour rester en vie, je continue à inventer des tas de choses dans ma folle tête, et fonde même une religion secrète, avec un Dieu pour moi toute seule, le magnifique Corambé.

Un témoin de premier plan...
En février 1848, Paris insurgé force le roi Louis-Philippe à abdiquer. C'est la révolution : les partisans de la République ont gagné ! Tous s'enthousiasment, sans avoir les mêmes priorités. Les uns, des bourgeois pour la plupart, exigent le droit de vote. Les autres, essentiellement des ouvriers, veulent surtout du travail, la moitié de Paris étant au chômage. On espère : « Plus encore qu'en 1789, chacun est persuadé qu'une ère de justice et de fraternité va abolir les inégalités », s'enthousiasme Sand, dont les amis deviennent ministres. Il y a Barbès, révolutionnaire réchappé de l'échafaud du roi pour ses opinions, Lamartine, poète célèbre et modéré, Arago, honorable astronome, qui va abolir l'esclavage...

6628

6629

6634

GEORGE

La Révolution de février 1848
échoue dans sa critique de la
société, de la propriété et du
capitalisme. En avril, les hommes
français de plus de 21 ans
ont pu voter : contre le retour
d'un roi, mais aussi contre le
bouleversement social. Alors que
le chômage frappe, le nouveau
gouvernement républicain ferme
les Ateliers nationaux, récemment
inaugurés pour donner du travail
à tous. C'est la fin d'un espoir. Les
manifestations se multiplient, le
pouvoir fait arrêter les principaux
penseurs révolutionnaires. En juin,
à Paris, pendant une semaine,
4 000 insurgés tombent sous
le canon des forces de l'ordre
(qui comptent 1 600 morts).
George Sand déplore ce « *temps
des martyrs* ». Rentrée à Nohant,
elle se lance dans l'écriture
de romans célébrant le peuple
ou les paysans de son Berry natal.

*Une barricade
à Paris en 1848*

Il est « *pur et charitable comme Jésus, rayonnant et beau comme
Gabriel. Il me fallait le compléter en le vêtant en femme à l'occasion, car ce que j'avais le mieux aimé et le mieux compris jusqu'alors,
c'était une femme, c'était ma mère* ».

Ma mère… ma grand-mère a beau la traiter de « fille perdue »,
cela ne m'effraie pas. Je voudrais être comme elle, une femme du peuple, elle a l'air heureuse ! « *Tes belles phrases m'ont
bien fait rire. J'espère que tu ne vas pas te mettre à parler comme
ça* », m'écrit-elle un jour. Je la rassure : « *Sois tranquille, ma
petite mère, je ne deviendrai pas une pédante, quand je voudrai
dire que je t'aime, que je t'adore, je te le dirai tout bonnement comme
le voilà dit.* »

Comme je suis décidément trop agitée, ma grand-mère me
met au couvent à 14 ans. Résultat : pas de résultat… Ou plutôt si, je tiens le compte précis de mes facéties. « *J'ai dormi au
catéchisme et j'ai ronflé à la messe ; j'ai dit que vous n'étiez pas beau ;
j'ai fait égoutter mon rat sur le voile de la mère Alippe, et je l'ai fait
exprès. J'ai fait cette semaine au moins quinze pataquès en français
et trente en anglais, j'ai brûlé mes souliers au poêle et j'ai infecté la
classe. C'est ma faute, c'est ma faute, c'est ma très grande faute, etc.* »
J'imagine aussi que je dois délivrer une femme recluse dans
les caves du couvent depuis deux siècles, avant de devenir
mystique et d'adorer brusquement Dieu. C'est décidé, je serai religieuse ! Je prie sans cesse, n'en mange et n'en dors
plus. C'est à un tel point que j'obtiens le contraire de ce que
je désire : la porte ! J'ai 17 ans, et les flammes qui m'habitent
vont s'embraser à l'air libre… Je vais m'adonner à la lecture
comme une forcenée. Tout ce que j'apprendrai au passage,
sur la condition féminine notamment, me révoltera.

Voilà comment je suis devenue George la Scandaleuse, avec pour « *profession, la liberté* », à une époque où les femmes n'ont droit ni à l'éducation ni à la vie dont elles rêvent, sauf si elles sont riches, et encore... Ça tombe bien, car riche, je le suis ! Tout ce qu'on interdit à nous, les femmes, je m'y livre avec passion. Je fais, à ma façon, avancer notre cause. Je collectionne les amants plus jeunes que moi (et des bien ! : l'écrivain Alfred de Musset, ou le compositeur Frédéric Chopin). Mon mari prétendra même que ses « *malheurs domestiques appartiennent à l'histoire* » de la France (et, oui... je suis *très* célèbre) et réclamera la Légion d'honneur (en vain, heureusement...) ! Cet âne m'« accordera » le divorce. Qu'il aille au diable !

J'ai deux enfants que j'adore, Solange et Maurice. Ma maison de Nohant est gaie et pleine d'amis. Je m'habille en homme pour pouvoir traîner partout à Paris, où le port du pantalon est interdit aux femmes, sauf pendant le carnaval ! J'écris des articles politiques signés George Sand (terminé Amandine Aurore Lucile, on en oubliera mon vrai nom, Dupin !). Mes romans parlent de mon Berry fantastique, que ma grand-mère voulait que je renie. *La Mare au diable*, vous l'avez peut-être lu ?

Vous voyez... Il faut encourager les enfants terribles !

Pâturage, toile de Rosa Bonheur

Dans l'ombre. Pendant la révolution de février 1848, George Sand travaille, pour ses amis ministres, mais elle doit le faire anonymement... Dans sa correspondance (elle a laissé pas moins de 17 000 lettres !), elle traite d'égal à égal avec les grands esprits d'Europe. Pourtant, elle n'a pas le droit de vote, comme toutes les Françaises qui en seront encore privées près d'un siècle. La loi les considère comme des enfants, affirmant qu'on leur doit « *une protection perpétuelle en échange d'un sacrifice irrévocable* ». Les femmes ne sont pas plus libres de leur corps. Rosa Bonheur, peintre travaillant en plein air, doit tous les six mois demander à la police une autorisation, un « permis de travestissement », pour porter un pantalon.

ABD EL-KADER

En 1830, les Français envahissaient l'Algérie pour contrôler le commerce en Méditerranée. Débutaient alors 130 années de colonisation, dont seule une guerre viendrait à bout. L'armée française n'imaginait pas qu'elle devrait combattre durant quinze ans un jeune émir. L'invasion a réveillé le souvenir des croisades, des raids d'incroyants. C'est l'islam menacé que, à la suite de son père, Abd el-Kader défend. La France avait pourtant d'abord composé avec lui : ayant réuni les tribus, l'émir garantissait la stabilité de la région. En 1837, un traité lui accorde l'autorité sur les deux tiers de l'Algérie. Maladresse ou manipulation ? Ce texte, écrit en arabe et en français, n'indique pas les mêmes frontières dans les deux langues. De ce « malentendu » jaillit la guerre : Abd el-Kader prend les armes.

Abd el-Kader aura « *un destin exceptionnel* », son père en avait rêvé, son fils l'a fait. Et ce n'est rien de le dire… Le jeune aristocrate Kader (papa est un grand chef religieux) bénéficie d'un enseignement soufi très « sélect », ce qui aide. Mais personne n'osera prétendre qu'il n'était pas doué. Sachant lire et écrire à 5 ans, expliquant le Coran en public à 12, il l'enseigne à 14. Les années passant vite, le voici à 24 ans, proclamé « sultan des Arabes », « émir » (prince), « hajj » (chef spirituel soufi) et « chérif » (descendant du Prophète). Mais il lui fallait bien les pleins et super-pouvoirs, pour remplir sa mission : résister aux envahisseurs turcs, anglais et surtout aux Français. Beau joueur, Abd al-Qadir ibn Muhyi al-Din al-Hasani al-Jazair, c'est son nom complet, les aura prévenus : « *Je ne veux pour moi aucun des prestiges auxquels vous pensez : nous entrerons dans Alger la Blanche et nous chasserons les infidèles de notre terre.* »

Ça va chauffer pour l'armée française qui, en 1830, vient d'envahir l'Algérie, avec à sa tête, Bugeaud, cruel général à casquette. L'armée commet des horreurs. Ses « colonnes infernales » massacrent des centaines de gens, les enfumant dans les grottes du Dahra ou les emmurant vivants… Certes, Abd el-Kader se vante aussi d'exploits guerriers sans quartier (« *Que de têtes, ce jour-là, mon sabre a tranchées, tandis que ma lance semait des blessures mortelles* »), mais il donne pourtant tôt des leçons de civilisation à son ennemi. Pour lui, la vie humaine est précieuse. Et, si l'émir est lui-même redoutable envers les traîtres et rarement tendre, en général, il épargne ses prisonniers. « *Je n'ai pas de quoi vous nourrir ; je ne vais pas vous tuer ; je vous renvoie* » : on imagine

ABD EL-KADER (1808-1883),
chef de guerre algérien et grand penseur
musulman, a résisté à la colonisation
de son pays par l'armée française,
alors l'une des plus puissantes au monde.

PRISE D'ALGER.

La ville tombe aux mains des Français en 1830.

La smala, capitale volante
de l'insaisissable guerrier, se déplace sur des centaines de kilomètres, au gré des combats. Abritant de 20 000 à 60 000 habitants, cette ville de tentes est ronde. À sa périphérie veillent les soldats, au centre vivent les blessés et la population. Des artisans y tiennent un immense marché que fréquente la population du désert. Lorsque l'armée française prend la smala en 1843, elle trouve 300 chefs, mais pas Abd el-Kader. Un de ses grands adversaires, le général Bugeaud, a dit de lui : « *On dirait qu'il a des ailes.* » L'émir a une fois de plus échappé aux 10 000 Français mobilisés contre lui. C'est lorsque ses lieutenants seront capturés qu'Abd el-Kader se rendra.

la tête des soldats français... Un colonel confie d'ailleurs à l'évêque d'Alger : « *Nous sommes obligés de cacher, autant que nous le pouvons, ces choses à nos soldats car, s'ils les soupçonnaient, jamais ils ne combattraient avec autant d'acharnement.* »

Durant sept ans, l'armée française multiplie les blocus et les conquêtes. Un traité est signé puis violé. L'émir Abd el-Kader reste campé ferme sur son cheval. Il réussit à créer un État indépendant avec une monnaie et une armée. Il essaie même d'instaurer l'école pour tous, affirmant « *la liberté et la puissance de mon peuple passeront par son éducation* ».

Les troupes françaises progressent et les villes tombent (Constantine, Oran, Titterie, Tlemcen...). Tagdempt, la capitale de l'émir, est prise en mai 1843. La France va alors apprendre ce que c'est qu'une « smala ». Le combattant Abd el-Kader a l'idée géniale de recréer une capitale de tentes, mobile comme ses guerriers !

En face, des fous furieux, tel le lieutenant-colonel de Montagnac, ont pour but d'anéantir tous ceux « *qui ne ramperont pas à ses pieds comme des chiens* ». Hélas, lorsqu'un peuple est résolu à en asservir un autre, il y arrive souvent. Abd el-Kader et les siens se réfugient au Maroc en 1843. Ils continuent le combat, mais sont trahis.

Les cavaliers d'Abd el-Kader

L'émir se rend en 1847. Commencent quatre années de captivité en France. Abd el-Kader rencontre des centaines de personnalités et d'anonymes, se passionne pour le chemin de fer, visite des châteaux : Pau, Amboise, tout un programme... un peu forcé : on l'y retient.

Pendant ce temps, le régime politique de la France change. Le nouvel empereur, Napoléon III, se prend d'amitié pour l'émir. En 1852, il lui accorde le droit de retourner en terre d'islam, en Turquie. Avant de partir, Abd el-Kader se rend à l'Opéra, va au bal, devient la coqueluche du Tout-Paris, qui se l'arrache...

Il reçoit de Napoléon III une pension « *digne de son rang* » et ne paiera pas d'impôts à la Turquie, se réclamant de la nationalité française (pas fou, l'émir !). Enfin au calme, Abd el-Kader va pouvoir pendant trente ans se consacrer à ses chers livres et à la philosophie mystique musulmane. Il écrit, travaille à la tolérance entre religions, enseigne (nombre de ses disciples deviendront célèbres). Quand le pouvoir s'offre une nouvelle fois à lui, l'émir se dérobe : non, merci, « *mon royaume n'est pas de ce monde* ». Sa foi s'accompagne d'une passion pour le monde moderne, pour l'agriculture ou la construction du canal de Suez. C'est lui qui saura convaincre les autorités d'Égypte de laisser son ami français Ferdinand de Lesseps creuser sa fameuse autoroute à bateaux.

Il s'éteint à 75 ans à Damas. C'était sans doute écrit : « *homme accompli* », c'est ce que signifie « *Abd el-Kader* » en arabe.

« *Mon étoile s'est éteinte dans le ciel d'Afrique...* *Allah le Tout-Puissant, le miséricordieux ne m'a pas accordé la victoire. Il a voulu que les Français s'emparent de ses terres et j'obéis à sa volonté* », dit Abd el-Kader en se rendant. Il parle en soldat vaincu et en grand maître du soufisme, une branche de l'islam. Son exemple est le Prophète lui-même, déclarant après une défaite : « *Nous venons du petit combat pour aller vers le grand combat.* » Le même mot, *jihad*, désigne les deux types de combat : le petit combat, c'est la guerre sainte contre les incroyants ; le grand, beaucoup plus essentiel pour Abd el-Kader, c'est la lutte contre soi-même, ses pulsions de haine, de violence, de convoitise. L'émir a tenu les armes quinze ans, avant de consacrer trente ans à l'étude de la sagesse.

LOUISE MICHEL

La Commune de Paris.
Napoléon III a perdu la guerre
contre les Prussiens : le Second
Empire tombe. Mais Paris reste
assiégé tandis que le nouveau
gouvernement français exilé signe
la paix. Les Parisiens se soulèvent.
Le gouvernement leur envoie
l'armée, qui refuse de tirer. En mars
1871, la ville se déclare « libre » et
instaure son propre gouvernement :
la Commune. Celle-ci met en place
un programme révolutionnaire.
Symbole parmi d'autres : on abat
la statue de Napoléon Bonaparte
juchée en haut d'une colonne place
Vendôme. Le peintre Courbet est à
la manœuvre. Condamné à payer
la reconstruction de la colonne, il
plaida qu'il avait seulement cherché
à la mettre à l'abri…

Chute
de la colonne
Vendôme

Il y a des gens agaçants… tellement agaçants… Éternellement dans le bon camp, sans cesse en lutte, côté justice, égalité, liberté… Ils finissent par irriter leurs frères humains… tellement humains… bien moins parfaits.

C'est le cas de Louise Michel. Parce qu'elle bataillait sans fin, certains chicanent encore. Sa poésie ne serait « pas terrible », sa passion pour les chats aurait été « excessive », elle se serait détournée des hommes parce que bien laide (la « Vierge rouge », c'est son surnom) etc. Pire, Louise n'aurait pas été la justicière au grand cœur, la super-Samaritaine qu'on raconte, mais une égocentrique. C'est sûr, Louise Michel exaspère…

Ne jamais être à sa place, elle adore ça, et commence tôt, très tôt. Sa mère est servante alors que son père est le fils du châtelain. Il s'est enfui, le lâche… Heureusement, ses grands-parents élèvent Louise au château. Très vite, elle pille l'armoire de la cuisine et s'adonne secrètement à la redistribution de petits pois, en prétendant agir au nom de la famille : « *Ce qui faisait de bonnes scènes quand les gens s'avisaient de remercier !* »

C'est un peu la faute de son grand-père, en lui apprenant l'histoire, il a semé la tempête… La voilà avec des idées folles et la révolution en tête. Las, il lui offre un jour de l'argent pour qu'elle cesse de jouer les Robin des bois.

À 20 ans, la voilà institutrice, il faut « *donner au peuple les moyens intellectuels de se révolter* » ! Elle se met vite à dos la hiérarchie, refuse de prêter serment à l'empereur, lui préfère le système de la République et sa belle devise, « Liberté, égalité,

LOUISE MICHEL (1830-1905), anarchiste française, icône de la révolution de la Commune de Paris en 1871, a consacré sa vie à la lutte contre l'injustice et à la défense des droits des femmes.

Louise Michel

Durant 72 jours, la France vit
à travers la Commune de Paris
une véritable guerre civile. Les
« Communards » s'opposent au
reste du pays, globalement non
révolutionnaire. Victor Hugo a dit
que la Commune *« était une bonne
chose, mais mal faite... »* Il est, comme
Clemenceau, de ces modérés qui
échouent à apaiser la violence du
gouvernement, réfugié à Versailles.
Les Communards ripostent par
des prises d'otages, des incendies,
quelques exécutions sans procès.
Le gouvernement veut en finir et
orchestre une terrible répression
du 21 au 28 mai 1871. Durant
cette « Semaine sanglante »,
au moins 20 000 Communards
tombent sous les balles des officiers
gouvernementaux ou sont fusillés.
40 000 Parisiens restent détenus
de longs mois sans être jugés.

*Une barricade,
rue de la Paix,
durant
la Commune*

fraternité ». Ne suivant pas le programme, appliquant ses propres méthodes, l'institutrice perd vite son travail.

Comme elle est têtue, elle monte à Paris. Elle enseignera quand même ! Elle est pauvre, mais ses amis sont écrivains (Vallès, Verlaine... pour s'en tenir à la lettre V). Et elle aussi écrira des tas de livres en colère, de la poésie et des romans de science-fiction qui construisent une société idéale, sans chef ni misère.

Et, toujours, elle discute et s'impatiente. Parlant de ses poèmes : *« Lorsque je signe Louis Michel, ils sont plus souvent publiés que lorsque je signe Louise Michel. Quelle différence, il y a dans ce petit e... »* Elle questionne. Pourquoi les femmes sont-elles moins payées que les hommes ? Pourquoi travailler douze heures par jour pour gagner si peu ? Dans sa quête, Louise rencontre le socialisme. De têtue, elle devient obstinée. Ça doit changer ! Le reste de sa vie, elle fera de la politique et deviendra un poil à gratter professionnel.

Mars 1871 : Paris est assiégé par les Prussiens, le gouvernement français veut signer un armistice, le peuple se sent trahi et se révolte, c'est la Commune. Paris veut une révolution ! Pour soigner les blessés et nourrir les pauvres, Louise obtient l'aide de Clemenceau, médecin et maire de l'arrondissement de Montmartre. Et que je donne (même aux voleurs)... et que je partage... Mais surtout, la mère Michel enfile un pantalon, prend un fusil et part se battre. *« Je fis le coup de feu avec les hommes – quelquefois, ils ne s'apercevaient pas que j'étais une femme – mais encore, je dois à la vérité de dire que j'exerçais un certain ascendant sur eux. Un jour, un petit jeune homme, affolé, parla de se rendre. Je tentai d'abord de le raisonner* puis j'employai les grands moyens : *"Si vous vous rendez, je fais sauter la gare"* », racontera-t-elle.

La Commune échoue. Son Théophile Ferré adoré, son seul amour (platonique, il l'aimait en camarade) est fusillé. Louise passe devant un tribunal, auquel elle tient tête. On la condamne au bagne en Nouvelle-Calédonie. Ils s'imaginaient qu'ils n'allaient plus entendre parler d'elle, si loin... Mais là-bas, inlassablement, elle reste du côté de ceux qui n'ont rien, s'insurge, et cela dure sept ans ! Pendant son exil, ses amis célèbres ont essayé de la faire libérer, elle a refusé (« *tant qu'il restera un seul condamné* »...). Sa brillante défense devant la justice a été publiée. Indomptable inconnue hier, la voilà désormais célèbre, une vraie star !

Elle rentre en France encore plus énervée, car en exil elle a viré à l'anarchisme, une théorie politique qui en insupporte plus d'un. Louise invente même un drapeau, qu'on voit toujours dans les manifestations : la couleur noire de la misère accolée au rouge de la révolte.

Elle s'est agitée ainsi jusqu'à 75 ans ! Victor Hugo, l'auteur des *Misérables*, son héros, a écrit en son honneur *Viro major* (« *Plus grande qu'un homme* »). À sa mort, 120 000 personnes ont suivi son cercueil. Et beaucoup l'adorent toujours aujourd'hui.

Elle sait, hé, hé, c'est su-per-a-ga-çant.

Le bagne. On y condamne souvent à perpétuité, en Nouvelle-Calédonie, les rescapés de la Semaine sanglante. Le gouvernement de la toute jeune IIIe République y envoie des milliers de communards. Les condamnés aux travaux forcés, mêlés aux autres prisonniers, meurent en nombre. D'autres, moins rudement traités, peuvent sortir des cases pour gagner leur vie (la déportée n° 2182, Louise Michel, ouvre une école). Ceux-là ont souvent survécu, lorsqu'en 1880 une amnistie générale autorise le retour en France. Dénoncés au début du XXe siècle, les bagnes ne seront fermés qu'en 1938.

« Ni Dieu, ni maître » proclament les anarchistes : l'autorité sert toujours aux puissants à dominer le plus grand nombre. Guidés par la raison, la solidarité et l'entraide, les hommes doivent eux-mêmes trouver comment mieux vivre ensemble ! Les anarchistes, très actifs pendant la Commune, assassinent dans les années 1890 des « ennemis de la classe ouvrière », dont Sadi Carnot, président de la République. Beaucoup d'anarchistes réprouvent ces attentats, d'autres les revendiquent, telle Louise Michel. En retour, tous sont poursuivis devant des tribunaux. Leurs idées ont influencé les ouvriers d'Europe, qui ont créé les premiers syndicats.

SITTING BULL

Hugh ! *Slow*, « celui qui réfléchit lentement », l'aîné d'une famille de Sioux Hunkpapa, est né dans les Grandes Plaines, au cœur de l'Amérique. Élevé selon les quatre vertus fondamentales (bravoure, force d'âme, générosité et sagesse), il a déjà tué son bison à 10 ans et à 14, son premier ennemi, un Crow, bien sûr. Recouvert de peinture noire, ayant enfin une lance, un bouclier, juché sur un cheval par son père, il reçoit un nouveau nom, Ta-tan'-ka-I-yo-ta'ké , c'est-à-dire *Sitting Bull* ou « Taureau Assis ». Homme blanc aurait dû se méfier. Rien que le nom...

À 18 ans, il entre dans la société secrète des Cœurs forts, une sorte de police de la chasse. À 23 ans, il devient homme-médecine, un statut très respecté. Dans le secret des dieux, il peut interpréter les rêves et sait guérir. Il est aussi excellent chanteur et compositeur. Il sera également marié neuf fois, et nul ne lui volera d'épouse, alors que c'était un sport très prisé des Sioux.

Mais ce sont les soldats blancs, les « Américains », les « Longs Couteaux », contre lesquels les Indiens mènent une guérilla sans fin, qui vont en faire un héros. Non contents d'avoir exterminé 500 Cheyennes, femmes et enfants compris, à Sand Creek, en 1864, ils font la guerre aux tribus indiennes et construisent des forts pour protéger les pionniers qui s'installent.

Sitting Bull, vite tenté d'unir les tribus pour les défendre, est encore retenu par un ami, un missionnaire, un Belge (oui), Pierre-Jean De Smet, qui parvient à le faire patienter... au nom de la charité chrétienne. Mais, comme Sitting

Les Sioux des Grandes Plaines, région au cœur des États-Unis, vivaient d'agriculture et de chasse aux bisons, jusqu'à ce que leur gibier fût anéanti par la conquête de l'Ouest (qui suit la colonisation de leur territoire par les Européens... devenus des Américains). Ceux des Indiens qui refusent d'intégrer des réserves ont été décimés par la famine, plus meurtrière que l'armée américaine. Aujourd'hui, les Indiens ne représentent plus que 5 habitants sur 100 en Amérique du Nord. La moitié vit encore dans des réserves. Grâce à l'argent des jeux, les Séminoles, millionnaires, ont racheté la chaîne internationale Hard Rock Café, mais ce n'est qu'un symbole... Les Indiens tentent de faire valoir leurs droits, mais restent nombreux touchés par le chômage, la malnutrition, l'illettrisme et l'alcoolisme.

SITTING BULL (1831-1890),
*chef de la tribu des Sioux, incarne
la résistance à l'invasion des terres
amérindiennes par les colons blancs.
Tacticien de la victoire de Little Big Horn,
il a été assassiné.*

Résistance indienne. Le traité de Fort Laramie, signé en 1868, a été la première grande victoire des Sioux. Jusque-là, le gouvernement américain ne discutait que pour obtenir une trêve. Là, les Indiens le forcent à leur accorder dans les Grandes Plaines, une « *immense réserve* », dont « *ils ne devront jamais sortir* ». Sur ce territoire, les Black Hills sont des collines sacrées. Le gouvernement américain s'engage à les respecter, mais échoue à les préserver des chercheurs d'or. Il tente alors de négocier un nouveau traité, ce que les Indiens refusent. Ceux-ci attaquent les pionniers, qui disparaissent dans la nature. L'armée part à leur recherche sur des milliers de kilomètres, avec trois colonnes. L'une d'elle, dirigée par Custer, périra à la bataille de Little Big Horn.

Bull est déjà très fort, il impose aux Blancs le respect des Grandes Plaines, territoire sioux. On écrit tout ça dans le traité de Fort Laramie, qu'il signe en 1868, avec deux autres chefs indiens, Red Cloud (« Nuage Rouge »), Crazy Horse (« Cheval Fou »). Peine perdue, les exactions continuent : un célèbre lieutenant-colonel, Custer, est même blâmé par les siens en conseil de guerre pour ses massacres !

En 1872, les constructeurs de la ligne North Pacific Railroad tirent sur les Indiens qui défendent leurs terres. Une fois de plus, seuls les talents de négociateur de Sitting Bull évitent une guerre sanglante. Puis, il se répand la rumeur qu'il y a de l'or, beaucoup, en plein territoire sioux, dans les Black Hills où sont enterrés les ancêtres. Les chercheurs d'or tannent les Sioux pour acheter leurs terres. Comme ils refusent, le gouvernement envoie l'armée pour les envahir. C'est une violation du traité de Fort Laramie. Homme blanc, langue fourchue.

Les Sioux, les Cheyenne et les Arapaho se rassemblent pour préparer la guerre. Sitting Bull a l'idée de laisser pénétrer les Blancs au cœur de son territoire, avant de les affronter. Bien joué... Le 25 juin 1876, le général Custer (en plus, cette ganache est montée en grade) les attaque et est écrasé, aplati même... à Little Big Horn par les guerriers de Crazy Horse, le chef désigné par Sitting Bull.

L'armée des Blancs est humiliée ; les représailles vont être terribles. Sitting Bull, promu « ennemi numéro 1 », s'enfuit avec les siens au Canada, et se met sous la protection de la reine Victoria, la « Grand-Mère blanche »...

C'est là qu'en octobre 1877 il reçoit une proposition du président américain : le pardon complet aux Sioux s'ils rendent les armes et acceptent d'intégrer des réserves. Sitting Bull refuse, rappelant : « *Nous ne vous avons pas donné notre pays, vous nous l'avez pris.* »

Mais les bisons manquent à l'appel et la famine s'abat sur les Sioux, harcelés par la police canadienne, détestés des Indiens locaux. Alors, en 1881, Sitting Bull accepte de rentrer aux États-Unis. Il remet son fusil à son propre fils et part, avec 200 des siens, vivre dans la réserve de Standing Rock.

À partir de là, c'est le cirque, le show à l'américaine, le grand spectacle. Sitting Bull se met à jouer au « *people* ». Il inaugure le chemin de fer ou s'exhibe dans des foires, aux côtés de Buffalo Bill, son équivalent cow-boy, une vedette. Et, s'il ne comprend rien aux lois de la future Hollywood, il sait quand même se faire payer ! Ça marche du tonnerre, mais, vite pris par la nostalgie de ses Grandes Plaines, il part retrouver son peuple des Black Hills, toujours aussi maltraité par les Blancs et trompé par leurs mensonges à répétition.

En 1890, croyant qu'il est en train de lancer une nouvelle révolte, le gouvernement américain décide de l'arrêter et, face à son opposition, l'assassine sous les yeux de son fils, Crowfoot, « Pied-de-Corbeau », éliminé, lui aussi, juste après.

Homme blanc, pas vraiment sympa.

La bataille de Little Big Horn, dernier grand combat entre Indiens et armée américaine, le 25 juin 1876, a fait 263 morts côté américain. On en sait peu sur la victoire des Sioux et des Cheyennes, mais le cinéma l'imagine souvent. Une chose est certaine, Custer, qui dérangeait, n'a pas été secouru par le reste de l'armée. Il était convaincu que ne pas protéger les Black Hills revenait à déclarer la guerre, il avait des amis indiens, maîtrisait leur langue. Il était brutal, mais s'opposait au commandant en chef Sheridan (qui a dit « un bon Indien est un Indien mort »). Lorsque l'armée est arrivée près de la rivière de la Little Big Horn, deux jours après la bataille, elle n'a trouvé qu'un cheval. C'était le seul survivant d'un événement aussi traumatisant pour les Américains que l'attaque du 11 septembre 2001.

La charge fatale des Sioux sur Custer et ses hommes

ARTHUR RIMBAUD

À 19 ans, il arrête d'écrire.
Rimbaud est l'unique grand
écrivain à avoir volontairement
renoncé à la littérature, après ne
s'y être consacré que quatre ans,
n'avoir publié que trois poèmes
et un court livre *Une saison en enfer*.
Le poète devient ensuite aventurier,
voyageur, commerçant en Afrique.
Des spécialistes discutent encore
des raisons de sa volte-face.
Pensait-il faire une simple pause ?
Voulait-il s'enrichir ? A-t-il craint
que son ambition artistique ne le
mène à la folie ? C'est grâce à son
ex-amant, le poète Verlaine, que
l'œuvre de Rimbaud a été connue.
Le mystérieux renoncement du
jeune artiste, sa liaison orageuse
avec Verlaine (avec échanges
de coup de feu !) et sa mort
prématurée ont entretenu un
mythe, à la hauteur de son talent.

D'un an jusqu'à dix-neuf ans file
ma vie de poète.
Puis à trente-sept, l'aventure s'arrête.
Je suis Arthur Rimbaud, et il y a eu
rarement si pur, si beau.

Un, deux, trois, quatre, cinq, six ans...
voilà, j'en ai sept :
mon père a quitté maman.
Elle devient aigrie, sévère : une peste.
Enfant doué en tout, des mots je me
joue.
C'est un vrai don. Je suis très bon.
Je suis surtout libre dans ma tête.
Mais ma mère m'accable de ses
préceptes.
Huit, neuf, dix, onze... jusqu'à dix-
sept :
j'apprends tout aisément.
J'écris des poèmes en latin, à des
camarades j'en revends :
« *il leur évitait cette pénible corvée* »...
a-t-on commenté
Quelle corvée ? C'est si aisé !
J'en écris même dans mes copies
de maths
et ma virtuosité épate !
Je suis le meilleur tout le temps.
Je rafle les prix d'excellence,
facilement.

J'ai 17 ans, âge insolent.
Je déteste déjà la société. Je veux quitter
ma cité.
Je publie, je rime, y'a la césure,
mes strophes sont sûres.
Je ne compte pas mes pieds
sur mes doigts :
ils coulent tout seuls de moi.
Desdouets, principal du collège
de Charleville-Mézières,
la ville d'où je suis originaire,
dit : « *Intelligent, tant que vous voudrez,
mais il a des yeux qui ne me plaisent pas...
Ce sera le génie du mal ou celui du bien.* »
Bravo, Desdouets :
t'étais presque doué.
Las, je mets le bazar,
me fais la belle, Izambard,
mon prof de lettres et de plume
m'aide à déployer mes ailes.
J'ai des poèmes dans les cheveux,
et ils me tombent toujours
dans les yeux.
Me voici « *voleur de feu* ».
Feu vital, feu sacré : il sera fatal et agité.

Dix-huit, dix-neuf et vingt : fini l'école,
fini le latin.
Je fugue, je fume, je suis bohème,
j'aime la Commune et renie
mes poèmes,

ARTHUR RIMBAUD (1854-1891), poète français, a su associer les mots et les sons pour parler d'une quête d'absolu, capable de rendre à l'homme son « état primitif de fils du Soleil ». Jugeant la poésie impuissante à « changer la vie », il y renonce très tôt.

C'est un trou de verdure où chante une rivière,
Accrochant follement aux herbes des haillons
D'argent ; où le soleil, de la montagne fière,
Luit : c'est un petit val qui mousse de rayons.

Vaincre la banale réalité est l'objectif de vie du jeune poète. « *Les habitudes n'offrent pas de consolations aux pitoyables jours* », dit-il à un ami. « *Vous roulez dans la bonne ornière* », écrit Rimbaud à son professeur de français adoré… parce qu'il enseigne pour vivre ! Lui, Rimbaud, veut être entretenu, Verlaine acceptera. « *Ma ville natale est supérieurement idiote entre les petites villes de province* », il la quitte pour Paris, mais y reviendra toujours. Rimbaud a le parcours classique d'un artiste, né en province, au XIXe siècle, sauf que chez lui Paris, dont il est vite déçu, se dit « *Parmerde* ». Travailler devient « *travaince* » (du latin *vincere* : « vaincre »), car son but dans la vie est de vaincre le sens commun des mots pour accéder à l'inconnu.

Charleville-Mézières, ville natale du poète

Je veux me dérégler les sens,
je cherche le beau ;
mes cheveux longs dévalent mon dos.
J'aime la vie et la hâte, je me révolte et m'exalte.
Je prends vingt centimètres
en neuf mois.
Le bac, ce sera sans moi. Ce n'est pas tout,
je fais les 400 coups.

Je traîne avec un homme plus vieux
de dix ans,
c'est mon amant, le grand Verlaine,
Nous nous ferons même la haine,
autre sentiment.
Avec lui, je bois, fréquente des poètes.
Je suis ivre de mots comme de tout.
Scandaleux,
je brûle la vie par les deux bouts,
c'est mieux.
Nous allons de toit en toit, de nous
à nous,
allers et retours,
Paris chez lui, chez moi, Londres,
Bruxelles et alentour.
Tumulte, passion, débauche et zut,
lors d'une colère,
Verlaine me tire au revolver.
Il part en prison, moi chez ma mère,
et j'écris *Une saison en enfer.*

Après, la poésie et moi, c'est terminé.
Elle me déçoit, trop étriquée.
Je clame que mes textes sont
des « rinçures » :
voici venir le temps de l'aventure.

De vingt et un à vingt-six ans,
c'est à cet âge que, souvent,
je dis que « *je ne resterai pas ici longtemps* ».
« *Il y a une chose impossible, c'est la vie sédentaire* » :
plutôt courir que Charleville-Mézières !
J'apprends des langues à foison,
je veux changer d'horizon.
Vient la folie des voyages
et d'autant de langages.
On m'appelle « *le voyageur toqué* »,
mais je ne suis pas dément,
je suis « *l'homme aux semelles de vent…* »
À pied, je parcours l'Europe et Java,
des coins d'Orient,
et du monde,
mais reviens toujours à Charleville :
la Terre est ronde.
Un jour je suis soldat, un jour déserteur,
un jour moribond, chef d'équipe,
vagabond, ingénieur.
Je voyage tant et tant, du nord au sud,
que, finalement, je ne supporte plus

le froid ; besoin de chaleur.

Alors je pars vers d'autres cieux,

l'Afrique mérite mes yeux.

Vingt-sept...

trente... trente-trois... trente-sept

ans... :

je marche des milliers de kilomètres,

je vais à Chypre, je vais, je viens, me

pose dans des places de rêve,

telle Aden, Abyssinie.

Je cherche un eden ? une utopie ?

Quoi ?

Nul ne sait, même pas moi.

Je suis à cheval, en caravane,

commerçant, trafiquant d'armes,

aventurier, chef d'atelier d'un tri

de café,

photographe, guide ou interprète.

J'aime une femme, la langue arabe

et l'âme des pays,

les Gallas, Harar ou Djibouti.

Pendant ce temps, bien loin de là,

on dit mon nom, glose sur moi,

C'est à Paris : on parle d'une chose

que je renie :

mes textes, ma poésie.

37, c'est ma fin. Dans ma boutique,

à Aden, en Éthiopie,

je m'ennuie,

je n'ai toujours pas trouvé le sens

de ma vie.

Une chute : je me blesse à la jambe,

En France, je rentre.

Ça s'aggrave : on m'ampute.

J'en meurs.

C'était tôt, mais c'était mon heure.

Je n'ai rien à regretter,

j'ai tout goûté.

Ma légende peut commencer.

C'est en poète maudit

qu'on me décrit aujourd'hui.

J'en inspire depuis des milliers :

rimailleurs ou rockeurs, ados rêveurs,

ou artistes tapageurs.

Ils prétendent tous savoir qui je fus.

Mais moi jamais je ne l'ai su.

« Je dis qu'il faut être voyant, se faire voyant. » Rimbaud a décrit son projet littéraire dans une lettre adressée à un ami. Il n'a alors que 17 ans ! *« Je dis qu'il faut être voyant, se faire voyant. Le poète se fait voyant par un long, immense et raisonné dérèglement de tous les sens. Toutes les formes d'amour, de souffrance, de folie ; il cherche lui-même, il épuise en lui tous les poisons, pour n'en garder que les quintessences. Ineffable torture où il a besoin de toute la foi, de toute la force surhumaine, où il devient entre tous le grand malade, le grand criminel, le grand maudit, – et le suprême Savant ! – Car il arrive à l'inconnu ! »*

SIGMUND FREUD

« Quels progrès nous faisons !
Au Moyen Âge, ils m'auraient brûlé,
à présent ils se contentent de brûler
mes livres », commente Freud,
qui scandalise en montrant que
contrairement aux apparences
orchestrées par la société,
les hommes sont animés
par la violence et leurs pulsions.
Son pessimisme est confirmé
par la grande boucherie qu'est
la Première Guerre mondiale, où
ses trois fils sont engagés. Mais,
en posant que la parole peut être
un outil permettant de faire de
l'existence une expérience moins
pénible, il redonne aussi confiance
en l'humanité : *« Il fait plus clair*
quand quelqu'un parle », a dit
un jour un petit garçon à Freud,
ce qui lui a donné à penser...

– Bon, allongez-vous. Expliquez-nous tout ça. Hmm, commencez par le début, s'il vous plaît...

– Nous avons été trois à esquinter les illusions de l'homme. Copernic lui a expliqué qu'il n'était pas le centre de l'Univers (dur...). Ensuite, Darwin l'a obligé à admettre qu'il n'était qu'un cousin du singe (rude...). Et moi, j'ai montré pourquoi ça ne tournait jamais complètement rond dans nos têtes, hé, hé, hé, de cousins du singe... Et, cela a été insupportable à la société de s'entendre dire cela, *« ja, unausstehlich »*, « oui, insupportable » !

– Bien... Mais encore ?

– Avec ma théorie, la « psychanalyse », j'ai expliqué que ce sont nos désirs, nos envies, qui nous rendent si peu raisonnables...

– Hmm... On dit que vous auriez averti que vous nous *« apportiez la peste »*, que rien ne serait désormais pareil... Mais, vous, qui vous intéressez tant à l'enfance, dites-en un peu plus sur la vôtre...

– Je suis né en 1856 dans un petit bourg de l'empire austro-hongrois... Mon père... il y avait en lui *« un mélange de profonde sagesse et de fantaisie légère, il a joué un grand rôle dans ma vie ».* J'ai eu cinq sœurs et deux frères. J'étais le fils préféré de ma mère. Elle *« m'a enseigné que nous avions été faits de terre et que nous devions retourner à la terre »...* À eux deux, mes chers parents m'ont donné un prénom impossible : Sigismund Schlomo. Je l'ai transformé en « Sigmund », qui signifie protection et victoire. Mon père, commerçant en tissus, a été ruiné. Nous avons déménagé à Vienne, vécu dans la misère.

– Bien... À l'école, ça se passe comment ?

– *« Nul ne devinerait en me regardant... mais à l'école, déjà, j'étais toujours parmi les opposants les plus hardis ; j'étais toujours là quand*

SIGMUND FREUD (1856-1939),
médecin autrichien, a inventé la psychanalyse,
qui soigne en utilisant les mots et les symboles.
Il a montré que, autant que par le raison-
nement, l'homme est piloté par des pensées
dont il n'a pas conscience.

L'Antiquité passionne le père de la psychanalyse. Féru de mythologie, Freud s'en inspire dans sa pratique. Dans son cabinet, des statues de dieux d'Égypte, de Grèce, de Rome et d'Orient fixent sa clientèle. Il a popularisé le mythe d'Œdipe. Ce dernier se croit adopté, il tue son père puis épouse sa mère, sans savoir qu'ils sont en réalité ses parents biologiques. Freud dit que, comme dans ce mythe, tout enfant rêve d'être l'unique objet d'amour de son parent de sexe opposé et voit alors dans le parent de même sexe un rival à éliminer. Le docteur pense que, dans la vie d'une personne, ce qu'elle a rêvé ou imaginé, ses « fantasmes », est aussi important que ce qui s'est passé.

il s'agissait de défendre quelque idée extrême et, en règle générale, prêt à payer pour elle. » J'étais un excellent élève. La lecture d'un essai sur la Nature de Goethe (« *ach, was ein Mann !* », « ah, quel génie ! ») m'a décidé à étudier la médecine. J'ai été un peu lent à avoir mon diplôme, mais entre-temps, j'ai travaillé pour être indépendant. À l'hôpital de Vienne, je me suis spécialisé en psychiatrie et dans l'étude du système nerveux.

– Bien, bien...

– Je me suis ensuite marié avec ma chère Martha. J'ai eu une bourse pour aller à Paris, où j'ai rencontré l'immense docteur Charcot... « *Ach, was ein Mann* », « ah, quel génie » ! Il soignait ses malades hystériques en pratiquant l'hypnose. Rentré à Vienne, j'ai fait connaître ses idées révolutionnaires... Et, ça a été la catastrophe ! Mes collègues m'ont traité de doux rêveur... À 29 ans, j'ai ouvert un cabinet pour les malades nerveux, sans grand succès.

– Bon... Mais rien ne vous prédisposait à devenir le « médecin, spécialiste de l'amour » comme on vous a surnommé ?

– Oui, ils m'ont accusé de voir du sexe partout, alors que c'est eux... hé, hé, nous tous... Je résume vite fait, hein ? C'est à cause de la sexualité qu'on aime le pouvoir, Dieu ou l'argent, qu'on tue ou se dispute en famille... « *Un conte de fées scientifique* » ont protesté mes confrères.

J'ai expliqué que, des enfants aux adultes plus sérieux, on y pense tous, sans jamais vouloir le savoir, « sans vraiment en avoir conscience » ! Du même coup, j'ai révélé que nous avions tous un « inconscient ».

– Comment en êtes-vous arrivé à cette idée ?

– En étudiant mon propre esprit et mes rêves, en écoutant mes patients atteints de tics, manies, angoisses...

J'ai développé la technique de la « libre association », qui permet d'exprimer ses pensées, sans réflexion, ni censure. Mais, ce qui a le plus fait enrager mes adversaires, c'est que je fasse payer mes consultations, comme n'importe quel médecin ! « *Ach, ein richtiger, un "vrai" Skandal* » ! Heureusement, peu à peu, j'ai eu des disciples.

– Hmm...

– J'ai démontré que personne ne sait vraiment ce qu'il fait ! Ça paraît logique, pourtant... Il suffit de voir les horreurs commises par l'humanité... D'ailleurs, je n'ai jamais prétendu guérir personne, non, mais juste aider chacun à vivre avec ses folies intimes...

– Bien, vous nous avez donc vraiment apporté la peste...

– Hé, hé, j'ai allumé une bombe ! Ma façon de faire, longtemps rejetée, a été jugée efficace sur les soldats rescapés de la Première Guerre mondiale. J'ai été nommé professeur : ça a été un big-bang dans les salons viennois... J'en rigolais bien en douce !

« Comme si le rôle de la sexualité avait soudain été découvert officiellement par Sa Majesté, l'empereur François-Joseph, la signification des rêves confirmée par le Conseil des ministres et l'utilité de la psychanalyse reconnue par le Parlement, à la majorité des deux tiers » !

– Vous avez révolutionné le regard porté sur l'homme ?

– Hmm... Il y a eu peu de révolutionnaires aussi sages que moi : rivé à mon bureau et mes patients... Un révolutionnaire avec six enfants, *« ma fierté et ma richesse »*, mais ce qui fait pas mal de monde à table...

– Bon. Nous poursuivrons la semaine prochaine... Ce sera 300 euros.

— Oui... il faut bien vivre et ça n'est pas donné !

Le Songe d'une nuit d'été, de Marc Chagall

L'humain laisse tomber dans l'oubli ses pensées les plus dérangeantes, affirme Freud. Sans cette évacuation, ce « refoulement », il n'aurait pas l'énergie nécessaire pour construire sa vie. Ces pensées évacuées construisent ce que Freud appelle un « inconscient ». Cet inconscient doit être exploré pour soigner certains problèmes ou simplement mieux vivre. Pour cela, le psychanalyste est attentif aux mots et à la parole du patient. Et, il s'intéresse à ce qui avait jusque-là été jugé sans intérêt : par exemple, les lapsus (le fait de dire un mot à la place d'un autre) ou les rêves, *« voie royale qui conduit à l'inconscient »*. Apparemment absurdes, ceux-ci sont des messages codés. Le psychanalyste doit aider son patient à en déchiffrer le sens pour mieux comprendre son esprit et ses émotions.

MARIE CURIE

« J'aurais cru à un canular »...
Lorsque, en 1896, Henri Becquerel montre que l'uranium est « radioactif », qu'il émet des rayons invisibles dégageant de l'énergie, personne ne s'emballe, sauf Marie Curie. Elle prouve que toute matière est radioactive. Elle découvre ensuite le polonium puis le radium, des millions de fois plus puissants que l'uranium ! Dès lors, la science s'intéresse à la radioactivité. La chercheuse a travaillé longtemps sans soutien officiel; un chimiste allemand en visite en France raconte : *« Je demandai avec insistance à voir le laboratoire des Curie… Cela tenait de l'écurie et du cellier à pommes de terre et, si je n'avais pas vu la table de travail avec son matériel de chimie, j'aurais cru au canular. »*

Je suis la première femme à avoir été enterrée au Panthéon et mon cercueil est bien plus lourd que celui des « grands hommes » qui sont mes voisins. Parce qu'il est plombé : simple mesure de protection contre mon corps irradié et radioactif… Et j'en connais un rayon… même mes carnets de notes, conservés à la Bibliothèque nationale de France, sont contaminés pour l'éternité. Me voilà un symbole, à jamais inoubliable. Et, en plus, j'ai prouvé qu'une femme peut être tout aussi ambitieuse que « ces messieurs ».

J'ai un nom compliqué : Maria Salomea Sklodowska (c'est polonais), mais appelez-moi Marie. J'ai grandi à Varsovie dans une famille d'enseignants : Papa, c'est maths-physique, Maman est directrice d'école. Malheureusement, elle a la tuberculose et, comme c'est contagieux, elle ne peut pas nous toucher. Jamais de baisers… un peu comme moi plus tard : dangereuse à approcher… Sauf que je ne me doutais de rien lorsque j'étudiais la matière qui m'a irradiée.
La suite est triste : ma mère meurt, puis c'est une de mes sœurs, contaminée par le typhus. Ajoutez à cela les ennuis que les Russes, qui occupent la Pologne, causent à mon père et la pauvreté qui s'ensuit, et vous comprendrez pourquoi je suis souvent angoissée. Alors, pour oublier, je plonge dans les études.

Les instruments de physique du bureau de mon père, qui m'a communiqué sa foi dans le progrès, me fascinent. Et, je suis une sorte de phénomène en classe : première partout ! Hélas, étudier la science est interdit aux femmes. Vous imaginez ça ? Alors je deviens institutrice pour continuer

MARIE CURIE (1867-1934),
Française d'origine polonaise
et première femme à enseigner à la Sorbonne,
a eu le prix Nobel de physique en 1903,
avec deux autres scientifiques,
pour son travail sur la radioactivité,
et a été couronnée du Nobel de chimie,
en 1911, pour sa découverte du radium.

Une réclame des années 1930

Bénéfique et nuisible. Après avoir compris que la radioactivité est produite par la désintégration d'un noyau d'atome, on apprend à la créer. La fille de Marie Curie, Irène, et son mari Frédéric Joliot, y parviennent les premiers en 1934. Rapidement la radioactivité artificielle démontre ses pouvoirs. En médecine, par exemple, elle détruit les tumeurs cancéreuses ; c'est de l'énergie nucléaire, issue de la désintégration de noyaux d'atomes, que la France tire aujourd'hui 80 % de son électricité. Mais thé ou savonnettes au radium sont encore à la mode, lorsque l'on comprend qu'être exposé à la radioactivité est dangereux... à un point que Marie et Pierre ignoraient. Ils redoutaient en revanche que leurs découvertes ne servent à l'invention d'armes, ce qui advint avec la bombe atomique.

à bûcher en secret... Et, heureusement, je suis déterminée. Je suis contre tout ce qui empêche les gens de vivre à leur guise. Je suis contre la religion, pour l'égalité des sexes, pour l'abolition des privilèges des riches, pour l'éducation du peuple... *« Nous ne pouvons pas espérer construire un monde meilleur sans améliorer les individus... Notre devoir particulier étant d'aider ceux à qui nous pouvons être les plus utiles »*, tel est mon credo ! Je donne des cours gratuits aux ouvrières illettrées, aux enfants pauvres. J'y crois !

En 1891, j'arrive à Paris, dont l'université accepte les femmes. Je vis quatre ans dans la misère mais obstinée, j'étudie *« mille fois plus »* encore qu'auparavant. Me voilà la première femme de l'histoire à passer la licence de sciences physiques à la Sorbonne et, mieux, première reçue des trente candidats[*] !

C'est à Paris que j'ai rencontré mon amoureux, Pierre Curie, scientifique surdoué et modeste. Lui et moi, c'est pour la vie. Lorsque j'ai commencé à travailler sur la radioactivité de l'uranium dans mon laboratoire gelé, Pierre m'a rejointe et *« c'est dans ce misérable vieux hangar que s'écoulèrent les meilleures et les plus heureuses années de notre vie, entièrement consacrées au travail »*.

Et ça fuse... je découvre le polonium (un nom en hommage à mon pays d'origine) et puis le radium... Pour en arriver là, je remue des tonnes de minerai radioactif, au milieu des émanations chimiques. Il y a tant de radiations dans le laboratoire que, la nuit, les objets émettent une lumière bleutée ! Une tambouille inquiétante, mais nul encore ne sait combien c'est dangereux.

Grâce à nos découvertes, c'est la gloire pour Pierre et moi : un prix Nobel partagé... Nous sommes épuisés mais, grâce à nos recherches, des gens guérissent.

En 1906, c'est terrible, mon Pierre meurt renversé par une voiture. Plus rien ne sera jamais pareil. Je travaille encore plus pour oublier mon chagrin et, forcément, je deviens une scientifique encore plus incontournable. Certains jaloux disent que c'est Pierre qui avait fait toutes les découvertes et que je ne bricole plus rien d'utile... Qu'ils causent, les perfides, moi, je continue à chercher, en m'entretenant secrètement avec lui, comme s'il était vivant. Et je poursuis ma route comme je l'entends. Ils peuvent toujours jaser... c'est un second prix Nobel qui m'attend ! Le monde entier m'admire.

Tout cela a un prix : victime des radiations, « la science dans le sang », en quelque sorte, je meurs d'anémie, de fatigue, à 67 ans. J'ai été enterrée aux côtés de Pierre : à nous deux, nous avions fait notre plus belle découverte, et pas du tout scientifique celle-ci : l'amour ! Ce n'est pas aussi une belle idée de progrès, ça ?

« Femme de sciences », rude condition. Après la mort de son mari, lorsque la chercheuse se présente à l'Académie des sciences, c'est un tollé : « *Mme Curie n'a jamais fait aucun ouvrage toute seule ; elle n'a été que la modeste collaboratrice de son mari* », dit-on. Puis une campagne de presse dénonce sa relation avec un physicien marié. Les journaux d'extrême droite se déchaînent. « *L'étrangère est en train de détruire un foyer français. Elle est le fruit de la corruption morale.* » Autour de sa maison, on crie : « *À bas l'étrangère, la voleuse de maris !* » Le gouvernement français finit par souhaiter qu'elle rentre en Pologne. C'est dans cette ambiance que le Nobel de chimie lui est remis, en 1911. De Marie Curie, Einstein a dit : « *De tous les êtres célèbres, c'est le seul que la gloire n'ait pas corrompu.* »

* Note des rédacteurs : Elle est épatante cette Marie, des diplômes, elle en raflera bien d'autres, et sera même toujours la première femme à les décrocher. Cerise sur le gâteau, elle est le premier scientifique à obtenir deux fois le prix Nobel !

GANDHI

Il a inventé une méthode imparable pour avoir, à l'usure, les Anglais qui exploitaient son pays : ne rien faire. Ou presque, ce qui est une sacrée nuance...

Désobéir au quotidien... En 1920 Gandhi exhorte les Indiens à boycotter les vêtements anglais. Puis, avec les responsables du Parti du Congrès (qu'il dirige jusqu'en 1934), il appelle, à la « désobéissance civile » : à se détourner des tribunaux, écoles, de l'administration dirigés par les Anglais. La population est lasse de payer l'impôt anglais sur le sel recueilli sur les rivages de son pays. En mars 1930, Gandhi marche 388 kilomètres jusqu'au bord de l'océan, où il ramasse symboliquement un peu de sel, vite rejoint par une foule non violente. 60 000 personnes sont pourtant emprisonnées et il y a des morts : le monde entier est choqué. Gandhi déclare alors : « Le poing qui a tenu ce sel peut être brisé, mais le sel ne sera jamais rendu. »

Une manifestation non-violente contre les Anglais

Gandhi, dit aussi le Mahatma, c'est-à-dire la « Grande Âme », naît sous le signe de l'effort permanent. *« J'exerçais une garde jalouse sur ma conduite. Si je méritais ou semblais, aux yeux du maître, mériter d'être repris, cela m'était intolérable »*, se souviendra-t-il. Un jour, il vole un morceau d'or, en tout bien tout honneur, pour rembourser une dette contractée par son frère. Mais, se sentant coupable, il avoue tout dans une lettre et voilà qu'à sa lecture son père, un notable pourtant sérieux, fond en larmes. Puis *« il ferma les yeux pour réfléchir et déchira le bout de papier. Moi aussi, je pleurais. Je pouvais voir qu'il souffrait atrocement »*.

On imagine l'ambiance à la maison... D'autant que la maman, une vraie « sainte », jeûne à tout bout de champ. Mais c'est comme ça, dira Gandhi, qu'on attrape le virus de l'*ahimsa*, de l'action par la non-violence. Bref, ce n'est pas la « brigade du rire » chez les Gandhi, surtout qu'ensuite le jeune homme est marié d'office, qu'il s'en veut d'avoir été absent lorsque son père meurt, et qu'il devient, à 16 ans, chef de famille.

Le jeune Gandhi voudrait faire médecine. Raté, il est un élève médiocre, et il n'est pas si calé que ça en anglais. Justement, pourquoi pas l'Angleterre ? Pour travailler son accent et apprendre les lois de Sa Très Gracieuse Majesté ? L'ami qui a soufflé l'idée a beau être un brahmane, ce qui se fait de plus costaud en matière de traditions indiennes,

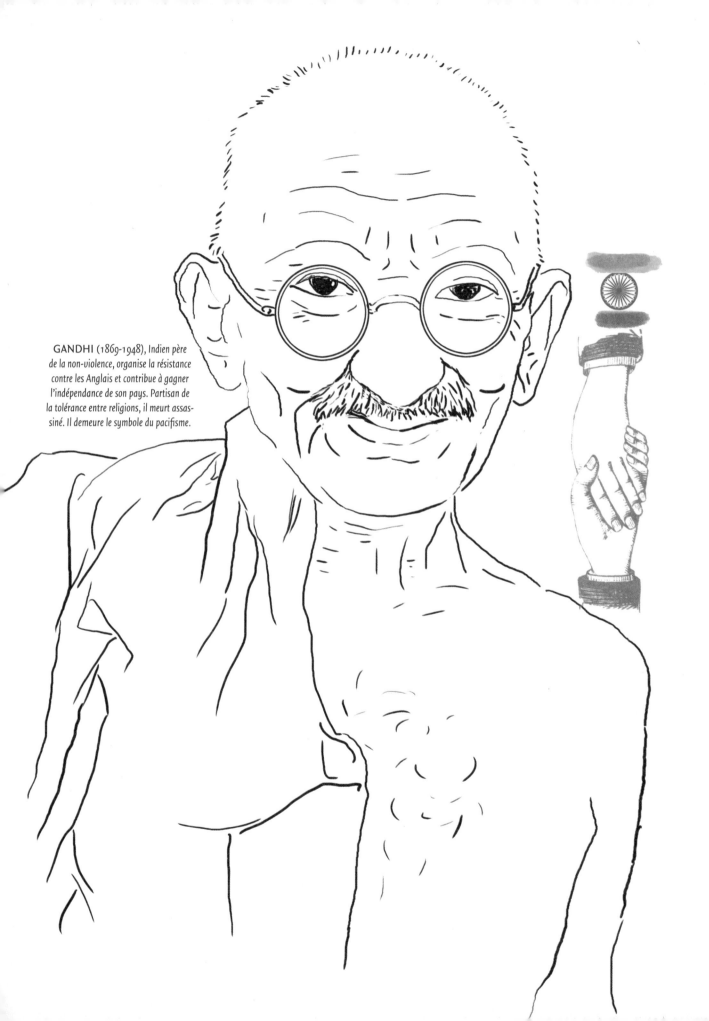

GANDHI (1869-1948), Indien père de la non-violence, organise la résistance contre les Anglais et contribue à gagner l'indépendance de son pays. Partisan de la tolérance entre religions, il meurt assassiné. Il demeure le symbole du pacifisme.

Une introuvable unité.
Lorsqu'en 1931 des négociations
sur l'indépendance de l'Inde
s'ouvrent à Londres, elles échouent
sur les divisions religieuses. Le
futur drapeau indien a beau mêler
le vert pour l'islam, le safran pour
l'hindouisme, et le blanc pour les
autres religions, chacun suit son
parti. Il faut compter aussi avec
les intouchables, groupe banni par
la religion hindoue, majoritaire,
qui hiérarchise la société selon le
supposé degré de pureté de chacun.
Pour obtenir l'union, Gandhi
jeûne et frôle la mort. À la radio,
on suit son état de santé heure par
heure, jusqu'à ce que *« les portes des
temples, fermés depuis des millénaires
aux intouchables, s'ouvrent pour eux »*.
Après la Seconde Guerre mondiale,
l'indépendance est acquise,
mais toujours pas l'unité.

c'est quand même un beau scandale dans le clan Gandhi.
S'éloigner du pays fera de *« cet enfant un paria jusqu'à la fin de
ses jours ! »* Tant pis. Après avoir juré à sa mère de *« ne toucher ni au vin, ni à la femme, ni à la viande »*, les trois grands
dangers qui guettent l'Indien en voyage, il fait sa valise. Au
revoir l'Inde ! Ici, Londres.

Là, il découvre les *« good manners »* (leçons de danse et d'élo-
cution), se prend pour un dandy et, il faut bien le reconnaître, vit un peu dans le *fog*, le fameux brouillard britannique,
en négligeant ses promesses. Mais au final tout s'arrange.
Il obtient son diplôme de droit et, surtout, c'est la révéla-
tion : il se découvre viscéralement indien.

Pourtant, de retour en Inde, le jeune avocat a un peu de
mal avec les lois locales, qu'il connaît mal et, en plus, il bé-
gaie ! Aussi, lorsqu'un poste s'offre en Afrique du Sud, il se
dit qu'à 24 ans sa carrière va peut-être enfin décoller. Pas
de chance, dans ce pays gouverné par les Boers et les Anglais (oui, à l'époque, ils sont partout), on est très raciste.
Lorsqu'un jour, dans un train, le contrôleur lui ordonne d'aller en 3ᵉ classe, « avec les Noirs et les Indiens », c'est parti : il
ne bouge pas ! Il est expulsé du wagon, mais ce n'est pas très
grave, parce qu'en réponse il crée un parti politique.
Il explique aux foules le *satyagraha*, « la force de la vérité ». Sa
méthode : désobéir et endurer la répression, jusqu'à ce que
l'adversaire reconnaisse ses torts. Durant sept ans, c'est terrible : des milliers d'Indiens sont torturés ou emprisonnés
comme Gandhi, mais suivent sa voie. En déclenchant des
grèves, Gandhi finit par gagner des droits pour les mineurs,
les travailleurs indiens d'Afrique du Sud. Très fort !

Lorsque, au bout de vingt ans, le Mahatma rentre en Inde, sa réputation est immense. Ça tombe bien car, ici, il y a du boulot, avec tous ces Anglais... Mais d'abord il faut bien se loger, la Grande Âme fonde un ashram, une ferme collective, avec 25 disciples. Ensuite, il opte pour l'habit tissé à la maison. Si la mode prend, les usines de tissus des Britanniques n'auront plus un sou indien. Pas bête... Pour enfoncer le clou, il lance une grève, et réussit à faire reculer les discriminations raciales et les impôts écrasants réclamés par la Grande-Bretagne. Sinon, lorsqu'il n'y a pas grève, Gandhi décide parfois de ne plus parler, et toc ! pendant un an. Pareil, lorsque ça barde trop entre Indiens musulmans et hindous, il met tout le monde d'accord en ne mangeant plus. Et retoc !

En 1919, lors d'une action pacifique, les Anglais tirent sur la foule. Bilan : 400 morts, 1 000 blessés. Pour Gandhi, pourtant patient, la coupe est pleine, il faut gagner l'indépendance !

Campagne de désobéissance civile, grèves, manifestations, répressions, prison, insurrection : l'Angleterre, déjà bien mal en point après la Seconde Guerre mondiale, n'en peut plus de son problème indien et du gourou en tunique blanche ! Ça dure depuis trente ans et lui attire la désapprobation internationale. L'indépendance est proclamée le 15 août 1947.

Depuis, cherchez des révolutionnaires non violents, parvenus à leur but : il y en a peu. Comme quoi pour quelqu'un qui n'a rien fait ou presque...

Les conditions de l'indépendance désespèrent Gandhi. Son pays est certes libre en 1947, mais divisé dès 1948. Il est amputé à l'ouest et l'est pour créer un État musulman (qui se partagera ensuite entre Pakistan et Bangladesh). Cette « partition » se fait dans la violence : 1 million de morts, plus de 10 millions de déplacés. Gandhi cherche l'apaisement avec les musulmans, ce qui lui attire les foudres des intégristes hindous. L'un d'eux l'assassine le 30 janvier 1948. Le pays adule toujours le « Père de la nation ». Son message de tolérance a aussi inspiré l'Américain Martin Luther King, le Polonais Lech Walesa, le Sud-Africain Nelson Mandela ou la Birmane Aung San Suu Kyi. En 2007, l'ONU a déclaré l'anniversaire de sa mort *« Journée internationale de la non-violence ».*

ROSA LUXEMBURG

70 « sans domicile fixe » meurent intoxiqués par un aliment dans un foyer de Berlin, le 1er janvier 1912. Luxemburg s'indigne. Extraits : *« Brusquement sous les apparences frivoles et enivrantes de notre civilisation, on découvre l'abîme béant de la barbarie et de la bestialité. On en voit surgir des tableaux dignes de l'enfer : des créatures humaines fouillant les poubelles à la recherche de détritus. [...] Et le mur qui nous sépare de ce lugubre royaume d'ombres s'avère brusquement n'être qu'un décor de papier peint. [...] Chaque jour des sans-abri s'écroulent terrassés par la faim et le froid. [...] Seul les mentionne le rapport de police. [...] À présent, il s'agit de hisser les corps empoisonnés des sans-abri de Berlin qui sont la chair de notre chair [...] en criant "à bas l'infâme régime social qui engendre de pareilles horreurs".* »

« *Je suis différente à chaque instant* », disait Rosa, « *et la vie est faite d'instants* ». Certes, mais la sienne fut constante dans le « toujours plus ». Peut-être, parce qu'elle a dû se battre pour être reconnue comme femme, intellectuelle, juive et marxiste, ce qui fait beaucoup. Et, tout ça, en aspirant à être normale, ce qui n'est jamais simple.

Malade à 5 ans, elle reste boiteuse, mais choisit l'option « sports difficiles » à l'école. Brune, polonaise et juive au milieu de têtes blondes russes et orthodoxes (le tsar de Russie occupe la Pologne), on la « tolère » seulement : parce que c'est la meilleure de toutes...

Choquée par la pauvreté (déjà...) qu'elle voit à Varsovie, elle se met à la politique, section « activités interdites », avec pour objectif le chambardement international. Elle a 18 ans, et ce ne sera pas un feu de paille. Le pouvoir ne plaisante pas non plus, et elle doit s'exiler, cachée dans une charrette de foin. Direction : la Suisse. Ses parents espèrent que le climat la calmera...

Là, elle tombe amoureuse de Leo Jochiges, beau révolutionnaire. Mauvaise pioche : c'est un coureur de jupons. Rosa s'accroche. Il lui en fera baver. Pas grave ! Ses convictions la poussent au travail, elle devient une militante célèbre. Non sans mal. Dix ans de boulot, et en quatre langues, pour contrer l'antisémitisme et le mépris des femmes que, justement, son génie ravive. Pfff...

Pas facile, non plus de vivre balancée entre la révolution en marche et ceux qu'elle aime. En Pologne, sa mère adorée est morte, puis c'est son papa, qui lui écrit : « *Tu es tellement*

ROSA LUXEMBURG
(1871-1919), Allemande,
est une des deux grandes
figures de la Ligue spartakiste qui, après la Première
Guerre mondiale, veut rallier
à la révolution les ouvriers
du monde entier. Elle meurt
assassinée.

L'explosif après-guerre. En Europe, les classes les plus pauvres, qui ont déjà payé un lourd tribut sur les champs de bataille entre 1914 et 1918, sont frappées par le chômage et la misère. En octobre 1917, la Russie a vu la révolution triompher avec les bolcheviques, emmenés par Lénine et Trotski. La vague révolutionnaire atteint d'autres pays. Sans parvenir à s'installer, elle bouleverse l'Allemagne de Rosa Luxemburg et Karl Liebknecht (du 5 au 15 janvier 1919), l'Italie et la Hongrie. Ces expériences-là dessinent un projet différent de celui que Lénine et Trotski sont en train de réaliser. Ce « communisme de conseils » d'ouvriers et de paysans, plus proche de la démocratie, moins dépendant d'un parti, moins militarisé, est dénoncé par Lénine d'un mot méprisant : le « gauchisme ».

occupée par des causes sociales... Je ne t'ennuierai plus avec mes lettres... Ton père qui t'aime. » Et, crac ! il meurt. Dur. Sans compter qu'avec Leo, ça n'avance pas beaucoup. Tant pis, Rosa milite davantage et se marie avec un autre. En 1900, elle choisit un Allemand pour avoir des papiers et rejoindre à Berlin le Parti socialiste, puis divorcer.

Elle les secoue rudement les Allemands, Rosa, ses grèves à mener, ses meetings à lancer et ses livres à écrire... On l'appelle la « Querelleuse » au Parti socialiste. Mais, pour faire comprendre à tous que l'exploitation de l'homme par l'homme, demain, c'est ter-mi-né, elle a besoin de ses respectables dirigeants. Même s'ils lui « donnent des nausées », avec leur petit confort bourgeois... qui la tente elle-même un peu. D'ailleurs, ça tombe bien, elle va s'y essayer.
Leo accepte de vivre avec elle. Enfin, « un petit logement à nous, nos meubles... un travail calme et régulier... chaque été un mois à la campagne » et « peut-être aussi, un petit, un tout petit bébé ? Est-ce qu'on ne pourra jamais ? » Non. La vie à deux ne durera pas.

En 1904, Rosa se repose... Trois mois de prison, de « merveilleux calme », se réjouit-elle. Motifs ? Sa lutte pour l'union des ouvriers de tous pays et contre les frontières, bref, son « internationalisme ». En sortant, elle repeint son appartement (ah, l'action reprend !) et s'occupe de Puck, son lapin domestique. Mais c'est vite étouffant ce train-train...
Elle file en Pologne, en 1905, comploter contre l'occupant russe. Elle risque sa vie, mais là, au moins, « on n'accouche pas... de mouches crevées comme à Berlin, mais d'un tas de choses géantes ». La situation se calme, Rosa prépare déjà la suite et

retourne à la case « prison ». Cette fois, c'est pénible, mais elle en ressort plus forte. Ce qu'il faudrait, c'est une bonne révolution. On se dit que ça va mal finir. Eh bien, oui !
En Finlande, elle prend le thé avec des militants russes, des pointures, comme ce Lénine, future étoile de LA révolution d'octobre 1917. Rosa le juge « *très intelligent* », quoique « *autoritaire et fermé* », avec son « *esprit étriqué de veilleur de nuit* ». Bien vu. Rentrée chez elle, ça repart : prison et théorie, ou vice versa, un peu de peinture et d'amour aussi (toujours pas avec Leo).

Les dix dernières années de sa vie, tandis que l'Europe prépare la Première Guerre mondiale, Rosa travaille à la paix. « *Si on attend de nous que nous brandissions les armes contre nos frères de France et d'ailleurs, alors nous nous écrions : nous ne le ferons pas !* » Elle dérange : on l'exclut du Parti socialiste, qui pense qu'avec la guerre, ce n'est pas le moment de révolutionner la société. Second rendez-vous manqué, après Leo, la révolution russe de 1917 : elle est alors emprisonnée. Libérée en 1918, elle crée son parti, la « Ligue spartakiste », qui donne la migraine à ses anciens amis socialistes modérés, arrivés au pouvoir. Ceux-ci déclenchent des campagnes contre les partisans spartakistes et noient leurs manifestations dans le sang. Le 15 janvier 1919, lors de l'insurrection révolutionnaire de Berlin, Rosa est sauvagement assassinée avec un camarade, Karl Liebknecht. Les coupables, d'ex-soldats, resteront impunis.

Elle adorait la vie, de toutes ses fibres.
Elle avait 48 ans. C'est passé si vite.

À Berlin lors de la « révolution spartakiste », en janvier 1919

LÉON TROTSKI

La Russie de 1917 est un pays rural. Et, malgré l'abolition du servage, soixante ans plus tôt, les paysans dépendent des grands propriétaires terriens. Ce grand pays peine à se moderniser économiquement et politiquement. En 1905, la révolution gronde. *« Nous sommes tombés dans la misère... on nous écrase d'un travail au-dessus de nos forces... on nous traite comme des esclaves »*, rapporte une pétition d'ouvriers au tsar, que l'on a cessé de vénérer. Malgré une modeste ouverture démocratique, avec la mise en place d'une assemblée, la Douma, révoltes paysannes et grèves ouvrières se poursuivent jusqu'à la Première Guerre mondiale, dans laquelle s'engage la Russie. Les échecs militaires et le peuple qui a faim renversent l'empire du tsar en 1917.

Le 21 août 1940, au Mexique, un homme meurt des suites d'une agression à coups de piolet.

Le mort est russe, révolutionnaire en fuite, et s'appelle Lev Davidovitch Bronstein, plus connu sous le nom de Trotski. L'assassin est Ramon Mercader, activiste communiste espagnol, qui sera emprisonné pour son crime au Mexique, avant de devenir, en URSS et pour la même raison, un héros et un général bardé de médailles.

Trotski venait d'écrire *« pendant quarante-trois années de ma vie consciente, je suis resté un révolutionnaire... Si j'avais tout à recommencer, j'essaierais d'éviter telle ou telle erreur, mais le cours général de ma vie resterait inchangé »*.

Il y en a comme ça, qui ne doutent de rien, portés par une cause qu'ils jugent supérieure. Pour Trotski, il s'agissait d'abattre le régime despotique et archaïque du tsar de toutes les Russies, Nicolas II, et d'installer les prolétaires au pouvoir. Ce qui fut fait en octobre 1917 aux côtés de Lénine. Cela a donné naissance à l'Union des républiques socialistes soviétiques, régime communiste totalitaire de 1922 à 1991. La vie, que le camarade Trotski a follement aimée, a pourtant causé d'innombrables souffrances : des cadavres par milliers, de la terreur, la perte de sa famille (suicides, déportations), la mort de nombre de ses proches, beaucoup de prison, des voyages incessants et des exils sans fin...

Un destin d'aventurier politique en somme, dont le bilan laisse perplexe. Pour tenir le cap, il fallait être vraiment convaincu d'œuvrer pour le bonheur de l'humanité. Convaincu Trotski l'était, convaincant aussi... *« Orateur*

LÉON TROTSKI (1879-1940), Russe,
fondateur de l'Armée rouge pendant
la révolution de 1917, dirigeant de l'URSS
jusqu'à son expulsion en 1929, a été
le théoricien de la « révolution permanente »
et internationale. Il a été assassiné.

Avec la révolution de 1917, un espoir naît dans le monde entier, ébranlé par l'installation d'un « socialisme réel » en Russie (rebaptisée Union des républiques socialistes soviétiques). Certains pensent que la révolution va s'étendre et entraîner toutes les nations vers l'idéal d'une société communiste, pensée par le philosophe Karl Marx, et organisée selon l'idée « à chacun selon ses moyens, à chacun selon ses besoins ». Mais, ses ennemis l'attaquant, la Russie vit finalement une toute autre expérience. Lénine, Trotski et leurs alliés « bolcheviques » (les « minoritaires » en russe) renversent le gouvernement provisoire, instaurent un pouvoir fort et répriment leurs anciens alliés. Le pouvoir est confisqué par le parti communiste tout-puissant et militarisé.

Aux côtés de Lénine à la tribune, Trotski, sur l'estrade : Staline le fera effacer de cette très célèbre photo.

gigantesque », *« écrivain à l'immense talent »*, dit de lui un biographe, son exemple laisse en héritage tout un imaginaire révolutionnaire.

Trotski, c'est le genre de personnage qui s'ancre tôt dans l'Histoire, qu'il va occuper droit dans ses bottes. Un principal du collège n'avait-il pas prévenu ? *« Il a sur tous ses camarades une influence déplorable. Ce garçon-là sera un danger pour la société ! »* Un danger pour la société dans laquelle il est né... c'est certain ! : la Russie en est encore au Moyen Âge, ou presque, lorsque éclate la révolution de 1917 contre le pouvoir des tsars.

Souvent les personnalités historiques se souviennent d'une scène qui a marqué leur enfance. Trotski en raconte deux. Fils de paysan juif aisé, passionné par la littérature, doté d'une belle plume et d'un cerveau alerte, il se fait cracher dessus par un plus désargenté que lui, qui l'a jugé sur sa tenue...

Quelque temps plus tard, on lui demande d'ôter les ornements de son uniforme pour ne pas se distinguer d'autres élèves sans le sou... Trotski a-t-il, à la suite de ces incidents, souhaité que tous endossent l'habit du pauvre ?

Ayant acquis un solide bagage théorique et philosophique, et une forte expérience de militant agitateur, il organise dès 1897 la clandestine et réprimée Union des travailleurs de la Russie du Sud. L'infernal cycle arrestation/prison/exil débute. Il écope de quatre ans à l'air frais de la Sibérie, où il poursuit ses activités clandestines (écriture dans des journaux, propagande). Puis il emprunte le nom de son ancien gardien de prison, « Trotski », bricole un faux passeport et s'évade en 1902 afin de voir du pays (Paris, Londres...).

Lorsqu'en 1905 le tsar fait tirer sur la foule à Saint-Péters-bourg, Trotski déboule, son heure a sonné ! Il prend la tête d'un « groupement révolutionnaire » (un « *soviet* ») qui existe cinquante jours. Las, la révolution reflue.

Trotski est arrêté, emprisonné, etc., etc., aucune impor-tance, le camarade en profite pour lire et écrire ses théories sur la révolution permanente, puis il retrouve la Sibérie, d'où il se fait la belle, un mois plus tard.

Nouvelle cavale : l'Oural, la Finlande, l'Autriche où il lance en 1908 un journal qui existe toujours la *Pravda* (la « Vérité »)... Avec ses activités de promotion de l'idéal révolutionnaire, le représentant Trotski n'est jamais au bureau, mais tou-jours en Suisse, en France, en Espagne, au Canada, à New York... Le revoilà enfin en Russie, où il rejoint Lénine en 1917 qu'il aide à prendre le pouvoir. Hourra, la révolution d'Octobre est en marche !

La suite ne tiendrait pas dans cette page : devenu ministre de la Guerre, il tue, massacre, déporte, trahit, instaure la Terreur rouge... avec, dans les yeux, un futur âge d'or pour le prolétariat.

Lorsque Lénine meurt en 1924, Trotski s'oppose à son suc-cesseur Staline (le « *pire de tous* », avait dit de lui Lénine). Et c'est reparti : exil en Asie, un sillage de sang et de drames... Il arrive au Mexique en 1937, indésirable partout. Il ignore qu'il lui reste trois ans à vivre. Quant à sa révolution, elle a débouché sur l'un des plus terribles régimes de l'Histoire.

Têtu, Trotski. C'est dans le crâne que se plantera le piolet.

« Rejoignez-nous »,
affiche soviétique
de 1930

Un train pour gagner la guerre.
Une sanglante guerre civile éclate entre les partisans de la révolution et ses opposants. Tous font régner la terreur parmi la population. Trotski dirige l'Armée rouge. Née d'une poignée d'hommes en 1918, elle en compte 5 millions en 1921 ! Trotski va d'un front à l'autre, à bord d'un train blindé : *« Appareil volant de gouvernement. Il s'y trouvait un secrétariat, une imprimerie, une station télégraphique, une de radio, une d'électricité, une bibliothèque, un garage et des bains »*, se souviendra-t-il. Dans les rangs ennemis, *« on se représentait ce convoi mystérieux comme beaucoup plus terrible qu'il n'était en réalité. Et son influence morale n'en était que plus grande. »*

MARCEL DUCHAMP

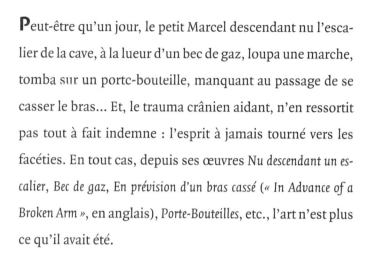

« J'ai acheté un égouttoir à bouteilles au Bazar de l'Hôtel de Ville, je l'ai apporté chez moi et cela a été le premier ready-made », raconte Duchamp sur ses œuvres « déjà faites ». Il ne faut pas confondre le « bon goût » d'une époque, ou ce qui est considéré comme beau, et l'art, dit-il. L'art est la fabrication à la main d'une œuvre et cette fabrication naît d'un choix. Lorsqu'il prend un objet courant et le présente comme une œuvre d'art, l'artiste fait un choix, donc il crée. Pour un peintre, explique Duchamp, faire une toile c'est *« choisir la quantité de bleu, la quantité de rouge et toujours choisir la place sur laquelle on va les mettre sur la toile… Pour choisir, on peut se servir de tubes de couleur, de pinceaux, mais on peut aussi se servir d'une chose toute faite et se l'approprier… »*

Peut-être qu'un jour, le petit Marcel descendant nu l'escalier de la cave, à la lueur d'un bec de gaz, loupa une marche, tomba sur un porte-bouteille, manquant au passage de se casser le bras… Et, le trauma crânien aidant, n'en ressortit pas tout à fait indemne : l'esprit à jamais tourné vers les facéties. En tout cas, depuis ses œuvres *Nu descendant un escalier*, *Bec de gaz*, *En prévision d'un bras cassé* (« *In Advance of a Broken Arm* », en anglais), *Porte-Bouteilles*, etc., l'art n'est plus ce qu'il avait été.

Avant d'en arriver là, Marcel Duchamp, dit aussi « marchand de sel » (ce qui en dit long sur son état d'esprit, même si, avec lui, rien n'est jamais à prendre au sérieux) ou « Rrose Sélavy » (les jours où il se déguise en femme), Marcel, donc, voit le jour en Normandie. Ou plutôt ouvre un œil, devrait-on dire de ce peintre qui déclara *« ce sont les regardeurs qui font les tableaux »*, le fainéant…

Dans la famille, on compte pas mal d'artistes : du grand-père à la mère, en passant par un oncle et quatre frères aînés qu'il adore, tous plus ou moins dans la branche « peinture ». Comme en plus, papa, notaire, s'occupe beaucoup de ses enfants et a suffisamment d'argent, on peut dire que tout va comme sur des roulettes pour le petit Marcel.

À l'école aussi, ça se passe bien, du moins au collège. Ensuite, la vocation de dilettante pointe. *« Trop de dissipation, manque de sérieux, très jeune d'esprit, a besoin d'acquérir plus de maturité ; quelques efforts trop intermittents… Suit la classe sans paraître s'y intéresser »*, prévient son bulletin de seconde. Pourtant, côté pinceaux, à 15 ans, Marcel est déjà au travail.

MARCEL DUCHAMP (1887-1968)
Américain d'origine française, révolutionne l'art au xxᵉ siècle, en affirmant que n'importe quel objet déjà existant, mais choisi par un artiste, tel une pissotière, peut être une œuvre, et en démontrant que l'art est différent du bon goût d'une époque.

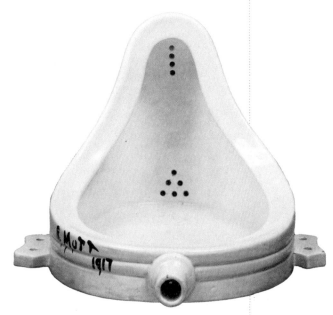

Duchamp envoie un urinoir intitulé « Fontaine » au comité de sélection d'une exposition. Celui-ci refuse de retenir son œuvre et se justifie : *« La Fontaine est peut-être un objet très utile à sa place, mais sa place n'est pas dans une exposition d'art et ce n'est pas une œuvre d'art, selon quelque définition que ce soit. »* Le jour de l'inauguration de l'exposition, Duchamp demande à l'un de ses amis de déclarer haut et fort vouloir acheter la *Fontaine*... absente. Ainsi a débuté la légende du plus célèbre urinoir au monde. En 2006, à Paris, au Centre Pompidou, un artiste admirateur l'a attaqué au marteau, affirmant avoir voulu lui ôter son statut d'œuvre pour qu'il redevienne un simple urinoir... fêlé ! (Sa réplique, l'original ayant été perdu.) Il a écopé d'un procès et d'une copieuse amende.

Fontaine-urinoir, réplique de 1964

À 17 ans, il rejoint ses frères à Paris, découvre Matisse et fait le tour des peintres cubistes. Il prépare aussi le concours des Beaux-Arts (après un échec, il n'insiste pas) tout en faisant le dessinateur de presse, avec des blagues lamentables.

Passionné par les machines, visitant avec le peintre Fernand Léger et le sculpteur Brancusi (de vrais califes !), le salon de la Locomotive aérienne à Paris, en 1912, il proclame : *« c'est fini la peinture. Qui ferait mieux que cette hélice ? »* (ce qui, soit dit en passant, est un objet très élaboré). Il jette sa palette, ses pinceaux et ses tubes de couleurs, mais ne réussit pas renoncer à l'art.

Il présente un *Nu descendant un escalier* (en fait, il donne à voir la superposition des mouvements d'un corps en action) à une exposition où on ne devait surtout pas présenter de nu, et qui la refuse. Son nu (arrivé à la dernière marche ?) traverse l'océan Atlantique, est exposé à New York et monte sur le podium. Hourra ! c'est le début du succès.

Puis, en 1917, il décrète qu'un urinoir, qu'il vient d'acheter chez son fabricant, est une œuvre d'art. *« Ma fontaine pissotière partait de l'idée de jouer un exercice sur la question du goût : choisir l'objet qui ait le moins de chances d'être aimé. Une pissotière, il y a très peu de gens qui trouvent cela merveilleux. Car le danger, c'est la délectation artistique, mais on peut faire avaler n'importe quoi aux gens. »* C'est un vrai scandale. L'objet est refusé, mais le message de Duchamp se grave, comme dans du marbre, à jamais dans les esprits. Il vient d'inventer le « ready-made » en art (le « déjà fait »). Une belle idée de paresseux... que personne n'avait eue avant lui !

Il s'amuse encore à affubler la Joconde d'une moustache et

d'une barbiche (depuis, ils ont été des milliers à la torturer, la pauvre Mona) en l'appelant « *L.H.O.O.Q* » (prononcez à voix haute). Puis, il proclame, en 1923, qu'il arrête toute production artistique, qu'il trouve son « *œuvre définitivement inachevée* ». Le menteur... il continue encore pendant des années et gagne plein d'argent. Le plus drôle, c'est qu'il a travaillé toute sa vie !

Même mort, il provoque encore. Sur sa tombe, il a fait inscrire : « *D'ailleurs, c'est toujours les autres qui meurent.* » Elle est bien bonne !

L.H.O.O.Q.

La Joconde de Léonard de Vinci revue par Duchamp

Génial dilettante... En 1923, Duchamp déclare vouloir devenir champion d'échecs, jeu où il excelle depuis son enfance et qu'il considère comme un art. S'inscrivant au championnat national de Belgique, il écrit à une amie : « *Je commence par les petites nations* », se classe troisième, et devient un professionnel. Il se marie, mène une vie de dandy entre les États-Unis, la France et la station balnéaire de Cadaqués en Espagne. Il est organisateur d'expositions, conseiller en art pour de très riches mécènes, avant de reprendre son activité artistique en 1934. Certains lui reprochent d'avoir, sur ses vieux jours, cédé à la tentation de l'argent, en multipliant des copies d'œuvres originales : une façon de gagner plus qu'ont bien d'autres artistes.

CHE GUEVARA

Le défi cubain. En 1956, le Che est parmi les 82 hommes commandés par Fidel Castro, qui débarquent à Cuba, la plus vaste île des Caraïbes. Leur but : renverser Batista, dictateur soutenu par les propriétaires terriens et les entreprises des États-Unis. Fidel Castro prend le pouvoir en 1959, puis instaure le communisme, défiant ainsi les États-Unis, la superpuissance voisine. Celle-ci riposte en interdisant tout commerce avec Cuba à ses entreprises et ses alliés. Cela asphyxie encore plus la vie quotidienne sur l'île, déjà assombrie par le manque de liberté imposé par Castro. Ses habitants survivent grâce aux touristes, à qui l'on propose notamment des circuits dans la jungle sur les pas du guérillero Guevara !

Guevara, ce révolutionnaire des Tropiques, qui a participé à la prise de pouvoir socialiste sur l'île de Cuba, c'est le rebelle idéal ! Le guérillero dont on rêverait qu'il ait existé, existe ou puisse exister. Il est beau et exalté. Il est animé d'un absolu, d'un courage et d'une volonté hors du commun. Né en Argentine, il va de l'Amérique du Sud à l'Afrique, appelant les pays du tiers-monde à combattre les deux géants, les impérialismes américain et soviétique.

Il meurt jeune et sans avoir eu le temps de trahir ses idéaux. Guevara, c'est du romantisme en barre. Le parfait combattant de la révolution avec un grand R, certes, mais qui pourrait incarner n'importe quelle lutte. Guevara... qui tombe sous le charme de Fidel Castro, le « comandante » en chef, Guevara... qui débarque à Cuba avec lui, et une poignée d'hommes d'un bateau improbable... qui progresse dans la jungle et les moustiques, avec des recrues sales, épuisées, mal armées, non formées, malades, blessées et hirsutes. Les assauts de casernes et de troupes, la guérilla qu'il théorise, les balles qui hachent les feuilles humides dans la touffeur de la jungle de Cuba : c'est du grand spectacle, de l'aventure sur grand écran.

Guevara, ce sont deux photographies.

Son portrait pris un jour de discours dans une rue de Cuba et à bout de bras. Figure que tout le monde a forcément vue au moins une fois dans sa vie, tirée à tant de millions d'exemplaires sur tout et n'importe quoi... Pour vendre la révolution, mais aussi du vin corse, des tasses, des chemisettes ou des briquets partout dans le monde (au point que son auteur, Alberto Korda, considère que sa photo ne lui appartient plus).

HECHO EN CUBA

Totalmente a mano

ERNESTO,
DIT « CHE », GUEVARA
(1928-1967), Argentin, a été un
des chefs de la révolution cubaine
avec Fidel Castro. Parce qu'il quitta
son poste de ministre pour défendre
ses idées ailleurs dans le monde,
il est, depuis sa mort au combat,
devenu une icône universelle
de l'idée de révolution.

Jungle, ruse et guérilla...

Lorsqu'un journaliste du *New York Times* vient interviewer le commandant en chef de la rébellion, Castro, dans la jungle, en 1957, ses troupes se réduisent à 18 hommes ! Castro imagine alors toute une mise en scène : pendant l'entretien, les mêmes combattants passent et repassent plusieurs fois, au loin, des estafettes accourent lui délivrer de faux messages, des paysans, sympathisants de la guérilla acceptent de se grimer en guérilleros (beaucoup le rejoindront ensuite pour de vrai). Cette interview fait de Castro le symbole de la résistance au dictateur Batista. Autre ruse de guerre classique : la colonne dirigée par le Che au moment de l'assaut contre la capitale, s'appelle la 8ᵉ... mais il n'en existe en tout que 3, rassemblant 1 000 hommes en tout.

Et un second cliché : celui de sa dépouille, alors qu'il vient d'être exécuté en Bolivie. On l'a photographié mort pour bien montrer que l'idée même de révolution était neutralisée. Mais, allongé torse nu, il ressemble au Christ de Mantegna, un peintre de la Renaissance : l'icône s'est retournée contre ses assassins. Même mort, Guevara gagne la partie.

Guevara, ce sont des milliers de livres et d'articles qui s'ébahissent de son enfance, de son intrépidité, de son côté trompe-la-mort, de sa volonté ahurissante contre son asthme aigu qui le handicape, de sa passion du sport, de ses exploits au rugby. Des kyrielles d'auteurs, de cinéastes ont retracé sa jeunesse, son voyage à moto à travers l'Amérique latine, sa prise de conscience de la misère et de la nécessaire révolution.

Même ses maladresses, ses bêtises sont racontées avec tendresse, que ce soit lorsqu'il danse le tango en écrasant les pieds de sa partenaire, lorsqu'il a un accès de vanité, après que Fidel Castro l'eut nommé (à son tour !) « *comandante* », ou lorsqu'il chahute des camarades dans un moment de détente. On cite avec indulgence tous les surnoms qu'il a eu, de Tété à Ernestito ou *el Pelao* (« le Pelé »). L'Histoire retiendra le Che, à cause d'un de ses tics de langage, commun à tous les Argentins.

Che Guevara, c'est pourtant de grosses taches : l'abandon sans scrupule de ses cinq enfants ; l'exécution de sang-froid d'au moins un traître ; la façon dont il commandait ses guérilleros... Mais, dans les récits, Che Guevara semble toutefois toujours absous pour ce qu'il eut de mauvais, même par ceux qui ne l'aiment pas, on lui trouve toujours une excuse.

Che Guevara est devenu un symbole mobilisé pour des causes qui n'ont jamais été les siennes. Depuis sa mort, à Guevara, on peut tout lui faire... Les frères Castro, Fidel et Raul, les premiers, bien installés au pouvoir à Cuba, ne s'en sont pas privés. Eux qui furent ses compagnons de combat pour la libération de l'île du joug du dictateur Batista, ils ont su faire un saint du Che (mort, Dieu merci !) pour qu'il les aide à maintenir un régime autoritaire.

Dans le Che, tout est bon. Sur lui, tout propos se vaut. C'est un des grands mythes du XXᵉ siècle, qui en a peu de si présentables. Avec son béret étoilé de rouge, les yeux tournés vers des lendemains qui scintillent pour les pauvres et les opprimés du tiers monde... Guevara, que tous s'accaparent, n'appartiendra pourtant jamais à personne. Qu'on dise de lui du bien ou du mal, la vérité ou non : tout devient vrai. C'est une telle légende que l'Histoire n'existe plus. Il est devenu une idole du culte vaudou, le refrain de chansons, un objet politique, médiatique, commercial, littéraire. Le rêve d'une autre vie dans un autre monde et un autre temps.

Tel Spartacus, il est devenu irréel.

« Vous m'aurez presque oublié »...
Le Che a laissé un dernier message à ses enfants : *« Chers Hildita, Aleidita, Camilo, Célia et Ernesto. Si un jour, vous avez à lire cette lettre, c'est que je ne serai plus parmi vous. Vous m'aurez presque oublié et les plus petits ne se souviendront de rien. Votre père a été un homme qui a agi comme il pense, et qui sans aucun doute a été fidèle à ses convictions. [...] Surtout, soyez toujours capables de ressentir au plus profond de votre cœur n'importe quelle injustice commise contre n'importe qui, où que ce soit dans le monde. C'est la plus belle qualité d'un révolutionnaire. Adieu, mes enfants, j'espère encore vous revoir. Un gros baiser de Papa. »*

Fidel Castro prévient les ennemis de Cuba : « Attaquez-nous et vous tomberez dans un guêpier ! »

MARTIN LUTHER KING

« Tous les hommes sont créés égaux »... proclame le 4 juillet 1776 la Déclaration d'indépendance, fondatrice des États-Unis. Pourtant l'esclavage n'y a été aboli qu'en 1865, après une guerre meurtrière entre le Nord et le Sud du pays. Et, un siècle plus tard, dans le Sud, les descendants d'esclaves restent victimes de lois ségrégationnistes, qui les déclarent *« égaux mais séparés »* des Blancs. L'entrée des lieux publics affiche *« Blancs seulement »*, Noirs et Blancs ne fréquentent pas les mêmes écoles. Lorsqu'ils croisent un Blanc, les Noirs doivent descendre du trottoir... Et de nombreux règlements locaux et intimidations privent de fait les Noirs du droit de voter ou d'être élus.

Section réservée aux Noirs, sur un ferry du Mississippi en 1964

Il a 6 ans lorsque le père de son grand copain lui dit que « eux deux, c'est fini », qu'ils ne joueront plus ensemble. Trois ans de longue amitié effacés parce que son copain est blanc et que lui, Junior, est noir... Le choc ! Les parents de Martin expliquent alors au petit, qui n'y comprend rien, la ségrégation, le racisme...

Heureusement, sa mère et son père se battent justement pour que ça change ; pour que les Noirs soient égaux aux Blancs, devant la loi et au quotidien. Alors, il y a de l'espoir, finalement ? Si maman dit que ça peut changer et que papa y croit... Plus tard, Martin Luther King Junior se souviendra : *« J'ai rarement eu l'occasion de rencontrer une personne plus dénuée de crainte, plus courageuse que mon père »*, dira-t-il. Celui-ci était pasteur et président de la NAACP, un mouvement de lutte pour les droits des Noirs.

En attendant le petit Martin grandit, passe de l'école à l'université. Il est bon en cours et, en plus, il aime les filles, danse bien, ce qui ne gâche jamais rien. On dirait que ça ne s'arrange pas si mal pour lui... Il rencontre des tas de gens qui l'aident à affûter ses idées. Un jour, on lui parle de Gandhi, l'Indien en tunique blanche. Encore un choc, un bon, cette fois-ci : il a son modèle, son Superman...

Ses études bouclées, Junior devient pasteur, comme ça se fait beaucoup dans la famille et, avant d'être papa, se marie. Nul n'étant parfait, il prie sa femme, qui veut être chanteuse, de rester au foyer et de s'exprimer le dimanche à l'église, mais bon... À 26 ans, il est heureux ou presque... autant qu'on peut l'être lorsque l'on est noir, vivant

I have a dream

MARTIN LUTHER KING
(1929-1968),
Américain, est la grande figure
de la lutte pour les droits et l'égalité
des Noirs dans la société américaine.
Son discours « I have a dream »
est peut-être le plus célèbre
de l'Histoire. Il a reçu le prix Nobel
de la paix en 1964
et a été assassiné.

Rosa Parks refuse de céder sa place à un Blanc dans un bus de Montgomery, ville du Sud des États-Unis, le 1er décembre 1955. Cette militante noire est condamnée à 15 dollars d'amende… après cinq minutes de procès. En réponse, les Noirs lancent un boycott des cars de la ville, soutenus par de nombreux pasteurs, dont Martin Luther King. Celui-ci déclare : « *Bientôt, l'on sera obligé de dire, c'est là que vivait une race de gens, un peuple noir aux cheveux crépus, un peuple qui a eu le courage moral de se dresser pour revendiquer ses droits.* » Effectivement… Ouvriers et employés noirs s'organisent, se rendent au travail à pied durant plus d'un an, jusqu'à ce que, le 13 novembre 1956, la Cour suprême des États-Unis confirme que la ségrégation dans les bus est contraire à la loi, à la Constitution.

à Montgomery, dans l'État de l'Alabama, le coin le plus raciste d'Amérique. Pas question de s'endormir, donc : Martin est prêt à en découdre avec les racistes de tout poil. Et, justement, de ce côté-là, ça bouge un peu. La jeune Rosa Parks vient de refuser de laisser sa place à un Blanc dans un bus, comme la loi l'y oblige. Elle a été arrêtée, mais il s'est ensuivi un sacré bazar. Martin Junior prend la tête des manifestations : les crapules du Ku Klux Klan, des militants racistes assassins, sont sur les dents… Ils peuvent bien faire exploser la maison (vide) de Martin, il en a déjà vu bien d'autres. Et, il a raison d'y croire. Victoire !, la Cour suprême américaine interdit la ségrégation dans les bus, puis abroge la loi raciste de l'Alabama. C'est un succès immense.

À 28 ans, Martin Luther King Junior devient une icône, multiplie les actions et rencontre même le président des États-Unis. Mais, en 1963, à Birmingham, encore en Alabama, le chef de la police lâche ses chiens, tire au canon à eau sur les Noirs qui manifestent, en chantant ! avec leurs enfants, puis les fait arrêter.

Cette fois-ci toute l'Amérique est sous le choc. Pour enfoncer le clou et obtenir (enfin) l'égalité des droits, Martin Luther King lance une marche sur Washington, le 28 août 1963. Ils sont plus d'un million d'Américains, Blancs et Noirs confondus, à protester. Même les stars Marlon Brando et Jane Fonda sont là ! Et, devant 250 000 personnes, à l'ombre de la statue du vieux Lincoln, le président qui a aboli l'esclavage un siècle auparavant, Martin Luther King prononce son discours « *I have a dream* » : « *J'ai rêvé …*

du jour où mes quatre enfants ne seront plus jugés sur la couleur de leur peau, mais sur le contenu de leur personnalité... »

Un rêve, peut-être... mais la loi sur les droits civiques des Noirs (le *Civil Rights Act*) est signée un an plus tard, en 1964 ! Elle proclame une stricte égalité avec les Blancs, la déségrégation des lieux publics, l'égalité à l'embauche et la protection du droit de vote des Noirs.

Hoover, le redoutable directeur du FBI (sorte de police, au-dessus de la police), a beau s'agiter dans l'ombre pour nuire à Martin, faire paraître d'odieux articles sur sa vie privée, le traiter de communiste (autant dire le diable en Amérique dans ces années-là), il poursuit sur sa voie royale. À 35 ans, il reçoit le prix Nobel de la paix, est soutenu par les grands de ce monde, et le pape l'invite ! Martin décide alors qu'il est temps de se battre pour tous les Américains les plus pauvres (dont les Noirs composent la grande majorité).

Il soutient des éboueurs en grève, à Memphis, lorsqu'il est assassiné le 4 avril 1968, dans des circonstances discutées, par un tireur aujourd'hui encore en prison. Il avait 39 ans. Le pays organise un deuil national. Comme son cher Gandhi, Martin Luther King a été fauché, et sans avoir vu aboutir son rêve. Mais ce qu'il a semé n'a cessé de grandir.

En 2008, quarante-cinq ans, jour pour jour, après son discours « *I have a dream* », le premier président noir américain, Barack Obama, lui a rendu hommage. Si un Noir a pu devenir président des États-Unis, symbole d'un extraordinaire bond en avant pour le monde entier, c'est un peu grâce à Martin et à son rêve.

Un vrai King, ce Martin lutteur !

« Bien sûr que je suis extrémiste ! » revendique Malcolm X. « Montrez-moi un Noir américain qui n'est pas extrémiste et je vous montrerai quelqu'un qui est mal dans sa peau », a déclaré ce célèbre militant. Jugeant que la loi sur les droits civiques de 1964 est insuffisante, il prône le recours à « tous les moyens nécessaires », expliquant : « Nous ne sommes pas pour la violence. Cependant, les gens que nous affrontons emploient la violence. On ne peut pas être pacifique contre eux. » Malcolm X imagine la création d'une nation noire indépendante, avant de penser qu'une entente entre Noirs (qu'il appelle « Afro-Américains ») et Blancs antiracistes est finalement nécessaire. Il a soutenu Luther King, avant d'être, en 1965, lui aussi assassiné.

Barack Obama, premier Noir, président des États-Unis, prête serment devant la Maison-Blanche, le 20 janvier 2009.

THOMAS SANKARA

Héritages. Après avoir réduit à l'esclavage des millions d'Africains au cours des siècles précédents, au XIXᵉ, les Européens conquièrent l'intérieur de l'Afrique et se la partagent. Ils exploitent des mines, construisent des routes, des ports et aménagent des plantations. Le chemin de fer, construit grâce au travail forcé des Africains, achemine leurs récoltes jusqu'à la côte, d'où elles sont envoyées en Europe. Depuis leur indépendance, dans les années 1960, les pays du continent peinent à trouver la stabilité. Certains vivent sous la coupe de dictateurs ; ailleurs, des oppositions entre « ethnies », plus ou moins authentiques, sont orchestrées pour mieux régner. La France continuant souvent à considérer les anciennes colonies comme son domaine, on a inventé le mot « Françafrique ».

On ne se méfie jamais assez de ses amis. Le capitaine Thomas Isidore Noël Sankara l'a payé de sa vie, après avoir été quatre ans président du Burkina Faso, autrefois appelé Haute-Volta.

On le connaît peu en Europe, Sankara, pourtant en Afrique, c'est une star. Sankara, c'est le contraire du vieux dictateur à toque de léopard, réélu sans fin avec 99 % des voix, qui prend sa retraite au bon air de Suisse ou sur la Côte d'Azur et passe l'arme à gauche, ses comptes en banques bien remplis. « Ouf ! » soupire généralement son peuple en enterrant celui qui aura pillé et abandonné son pays (à moins qu'une rébellion, un coup d'État ne l'ait interrompu).

Avec Sankara (troisième rejeton brillant d'une famille de onze enfants, papa gendarme, maman au foyer), ça ne s'est pas du tout passé ainsi. Et, à sa mort, on a vu des hommes et des femmes pleurer.

Certes, le jeune capitaine a commencé dans le respect des traditions : il a fait un coup d'État, en août 1983, aidé de son copain Blaise Compaoré et d'une poignée de militaires. Mais, bon, ça se passe dans le calme et sans violence. Et surtout, ça s'arrange vite ! En quatre ans, Sankara démontre que la Haute-Volta a beau faire fort dans la géographie de la misère, ce n'est pas une solution pour elle de survivre grâce aux pays occidentaux tels que la France, une « amie ».

Ces *« aides alimentaires qui installent dans nos esprits ces réflexes de mendiant, nous n'en voulons plus »*, déclare-t-il avant d'interdire d'importer des fruits et légumes, pour relancer

THOMAS SANKARA (1949-1987), chef d'État du Burkina Faso, avait engagé son pays sur une voie que beaucoup de spécialistes de l'Afrique jugeaient prometteuse, lorsqu'il a été assassiné.

BURKINA FASO ● Le pays des hommes debout

Quel avenir ? L'Afrique va mal. Les pays au sud du Sahara s'appauvrissent au lieu de se développer. Au Burkina Faso, seulement 1 enfant sur 2 mange correctement et 1 sur 3 va à l'école. Les Africains, trop nombreux (au Burkina, leur nombre double tous les vingt ans), vivent presque tous de l'agriculture, et la terre, trop sollicitée, s'use. Les prix du café, du cacao, du coton que l'Afrique exporte baissent, ce qui ruine les paysans. Il n'existe pourtant aucune malédiction : avec le même climat, l'Asie nourrit bien plus d'habitants. Mais ces problèmes hérités de la colonisation ne mobilisent ni la plupart des chefs d'État ni les organisations internationales. L'Afrique a pourtant du pétrole, des minerais rares, de grandes richesses. Et ses émigrés travaillant en Occident font vivre des familles entières avec l'argent envoyé « au pays ».

l'agriculture nationale. Fini aussi de couper du bois, on doit même planter un arbre lorsque l'on se marie pour préserver les sols. Terminé aussi de laisser les troupeaux de zébus se balader en piétinant les haricots ! *« La liberté, ça se conquiert »*, continue capitaine Sankara, qui lance de grands travaux. Les paysans s'organisent et creusent des retenues d'eau, tandis que le gouvernement orchestre la construction de barrages pour irriguer la terre. Le plus beau, c'est que ça marche : la production agricole décolle !

Sankara s'attaque ensuite à la corruption, la vraie peste de l'Afrique, où l'on a l'habitude de « s'arranger » avec la loi et les règlements en tendant quelques billets aux puissants, aux fonctionnaires et à tout ce qui porte képi. Il fait revendre les grosses voitures de l'État pour rouler en R5, une Renault très ordinaire. Pour bien marquer le coup, le beau capitaine (oui, en plus, il est beau!) rebaptise la Haute-Volta Burkina Faso, c'est-à-dire en langues locales, mooré et banamankan, la *« patrie des hommes intègres »*.

Il commence à énerver le monde, le Sankara... On s'interroge dans les pays voisins et même à Paris, où l'on a l'habitude de faire des affaires pas claires au Burkina. Qui est cet hurluberlu qui, non seulement, participe à des courses cyclistes, mais en plus « s'invente un destin » en Afrique de l'Ouest ? Un jour, à Paris, il s'offre même le luxe, l'insolent, de refuser de serrer la main d'un représentant du gouvernement de la République française venu l'accueillir au bas de l'avion !

Mais, de plus en plus fort : le capitaine Sankara continue, rabat leur clapet aux chefs traditionnels, les prive de leurs privilèges, comme celui de distribuer la terre. Et, après avoir parié sur les paysans, il mise sur les femmes. Il interdit l'excision, une mutilation sexuelle, mais veut aussi les envoyer à l'école !

Il va parfois un peu vite en besogne, le chef d'État, commence-t-on à entendre ici et là... Sa révolution agricole, c'est bien beau, mais « pas donné », râlent les fonctionnaires et les habitants des villes contraints de se serrer la ceinture.

Ça commence à chauffer pour le matricule de Sankara qui, en plus, a un peu tendance à faire tout tout seul, n'étant pas trop aidé par les siens. Dans les comités créés pour encadrer sa révolution et ses réformes, on se pousse du col, on abuse, on parle de plus en plus d'exactions...

Le capitaine Sankara décide de faire une pause. Il reconnaît qu'il faut « *rectifier la révolution* »... lorsque c'est lui qui se voit « rectifié ». Il est abattu en octobre 1987 lors d'un coup d'État organisé par plus docile que lui : son ami et ex-compagnon d'armes Blaise Compaoré, qui a pris le pouvoir et y est encore.

L'ONU a demandé que les circonstances de sa mort soient élucidées : en vain. On ne sait pas où a été enterré son corps. Thomas Sankara, même mort, dérangerait-il encore trop les profiteurs du pays, sous le nez d'une population qui se débat dans une misère et une ignorance entretenues ?

Il aura démontré que l'on peut être fier d'être Africain et qu'aucune malédiction ne pèse ni sur l'Afrique en général, ni sur son cher Burkina Faso, en particulier.

Enfants jouant à la frontière du Niger et du Burkina Faso

BIBLIOGRAPHIE

Aux côtés des écrits autobiographiques de nos personnages,
voici la plupart des travaux d'historiens ou de biographes
qui ont débusqué les témoignages, fragments de lettres, de journaux
ou anecdotes que nous citons dans
L'Encyclopédie des rebelles,
insoumis et autres révolutionnaires.

PERSONNAGE PAR PERSONNAGE

ABD EL-KADER
Ahmed Bouyerdene, *Abd el-Kader. L'harmonie des contraires*, Paris, Seuil, 2008.

Bruno Étienne et François Pouillon, *Abd el-Kader le magnanime*, Paris, Gallimard, 2003.

Pierre Michelbach, « Abd el-Kader, guerrier et mystique », *L'Histoire*, mars 1982.

AKHENATON
Cyril Aldred, *Akhenaton, roi d'Égypte*, Paris, Seuil, 1997.

Guillemette Andreu, *Les Égyptiens au temps des pharaons*, Paris, Hachette, 1997.

Marc Galbolde, *Akhenaton. Du mystère à la lumière*, Paris, Gallimard, 2005.

Nicolas Grimal, *Histoire de l'Égypte ancienne*, Paris, Fayard, 1988.

Nicholas Reeves, *Akhenaton et son Dieu. Pharaon et faux prophète*, Paris, Autrement, 2004.

ASSISE, FRANÇOIS D'
Sylvie Barnay, *Les Saints. Des êtres de chair et de ciel*, Paris, Gallimard, 2004.

Gérard Bessière et Hyacinthe Vulliez, *Frère François. Le saint d'Assise*, Paris, Gallimard, 1998.

Jacques Le Goff, *Saint François d'Assise*, Paris, Gallimard, 1999.

BEETHOVEN, LUDWIG VAN
Philippe Autexier, *Ludwig van Beethoven. La force de l'absolu*, Paris, Gallimard, 1991.

Solomon Maynard, *Beethoven*, Paris, Fayard, 2003.

Yann Walcker, *Ludwig van Beethoven*, Paris, Galllimard Jeunesse Musique, 1998.

http://mediatheque.citemusique.fr/mediacomposite/CMDP/CMDP000000600/03-Beethoven.htm (texte de Jean-Marie Lamour).

BLANQUI, LOUIS AUGUSTE
Louis Auguste Blanqui, *Maintenant, il faut des armes*, textes choisis et présentés par Dominique Le Nuz, Paris, La Fabrique, 2006.

Maurice Dommanget, *Auguste Blanqui, des origines à la révolution de 1848*, Paris, Mouton-École pratique des hautes études, 1969.

Gustave Geffroy, *Blanqui l'Enfermé*, Paris, Fasquelle, 1926.

Bernard Noël, *Dictionnaire de la Commune*, Paris, Flammarion, 1978.

BOLIVAR, SIMON
Gilette Saurat, Simon Bolivar, le Libertador, Paris, Grasset, 1990.

Pierre Vayssière, « Bolivar, le mythe du Libérateur », L'Histoire, décembre 1989.

Arnold Whitridge, Bolivar le Libérateur, Paris, Nathan, 1966.

CURIE, MARIE
Ève Curie, Madame Curie, Paris, Gallimard, 1938.

François Balibar, Marie Curie. Femme savante ou Sainte Vierge de la science ?, Paris, Gallimard, 2006.

Jean-Pierre Poirier, Marie Curie et les conquérants de l'atome, Paris, Pygmalion, 2006.

DUCHAMP, MARCEL
Pierre Cabanne, Duchamp & Cie, Paris, Terrail, 1997.

Judith Housez, Marcel Duchamp, Paris, Grasset, 2007.

Marc Partouche, Marcel Duchamp : sa vie, même, Romainville, Al Dante, 2005.

FREUD, SIGMUND
Sigmund Freud, Freud par lui-même, Paris, Gallimard, 1987.

Pierre Babin, Sigmund Freud. Un tragique à l'âge de la science, Paris, Gallimard, 1990.

Catherine Clément, Pour Sigmund Freud, Paris, Mengès, 2005.

Ernst Freud, Lucie Freud et Ilse Grubrich-Simitis, Sigmund Freud. Lieux, visages, objets, Paris, Complexe-Gallimard, 2006.

« Freud », dossier spécial, Le Nouvel Observateur, 3-9 octobre 1991.

GALILÉE
Laurent Albret, L'Inquisition. Rempart de la foi ?, Paris, Gallimard, 1998.

Jean-Pierre Maury, Galilée, le messager des étoiles, Paris, Gallimard, 2005.

Georges Minois, Galilée, Paris, Presses universitaires de France, 2000.

GANDHI
Catherine Clément, Gandhi. Athlète de la liberté, Paris, Gallimard, 2006.

Christine Jordis, Gandhi, Paris, Gallimard, 2006.

Brigitte Labbé et Michel Puech, Gandhi, Paris, Milan Jeunesse, 2003.

Christophe Jaffrelot, « Dehli, 30 janvier 1948. L'assassinat de Gandhi », L'Histoire, décembre 1997.

GUEVARA, ERNESTO, DIT CHE
Ernesto Che Guevara, Journal de Bolivie, préface de François Maspero, Paris, La Découverte, 1995.

Jean Cormier, Che Guevara, Paris, Le Rocher, 1995.

Jean-Michel Gaillard, « À la gloire du Che ! », L'Histoire, janvier 2004.

Pierre Kalfon, Che. Ernesto Guevara une légende du siècle, Paris, Seuil, 1997.

Pierre Vayssière, « Che Guevara : la face cachée d'un guérillero romantique », L'Histoire, octobre 1997.

LOUVERTURE, TOUSSAINT
Alejo Carpentier, Le Siècle des Lumières, Paris, Gallimard, 1962.

Alain Foix, Toussaint Louverture, Paris, Gallimard, 2007.

Marc Ferro, Histoire des colonisations. Des conquêtes aux indépendances, XIIIe-XXe siècle, Paris, Seuil, 1994.

Bernard Gainot, « *Toussaint-Louverture et l'indépendance d'Haïti* », Annales historiques de la Révolution française, 340, http://ahrf.revues. org/document2024.html.

LUDD, NED
Vincent Bourdeau, François Jarrige et Julien Vincent, *Les luddites, bris de machines, économie politique et histoire*, Alfortville, Ère, 2006.

Philippe Minard, « Le retour de Ned Ludd. Le luddisme et ses interprétations », *Revue d'histoire moderne et contemporaine*, 2007/1.

Kirkpatrick Sale, *La Révolte luddite. Briseurs de machines à l'ère de l'industrialisation*, Montreuil, L'Échappée, 2006.

LUTHER KING, MARTIN
Martin Luther King, *Autobiographie*, Paris, Bayard, 2000.

Nicole Bacharan, *Good Morning America*, Paris, Seuil, 2001.

Anne Jolivet, « Rosa Parks la femme qui a dit non », *Au fil de l'histoire*, Radio-France, 23 septembre 2007.

André Kaspi, « Qui a assassiné Martin Luther King ? », *L'Histoire*, mars 1998.

LUXEMBURG, ROSA
Rosa Luxemburg, *Dans l'asile de nuit*, Paris, L'Herne, 2007.

Elzbieta Ettinger, *Rosa Luxemburg. Une vie*, Paris, Belfond, 1990.

Max Gallo, *Une femme rebelle : vie et mort de Rosa Luxemburg*, Paris, Presses de la Renaissance, 1992.

MICHEL, LOUISE
Sophie Desormes, « Le cas Louise Michel », *L'Histoire*, mai 2000.

Michel Ragon, *Georges et Louise*, Paris, Albin Michel, 2000.

Jacques Rougerie, *Paris insurgé. La commune de 1871*, Paris, Gallimard, 1995.

Michel Winock, *La Fièvre hexagonale. Les grandes crises politiques de la France, 1871-1968*, Paris, Calmann-Lévy, 1986.

Gauthier Xavière, *L'Insoumise*, Paris, Manya, 1990.

NEWTON, ISAAC
James Gleick, *Isaac Newton. Un destin fabuleux*, Paris, Dunod, 2005.

Jean-Pierre Maury, *Newton et la mécanique céleste*, Paris, Gallimard, 2005.

Westfall Richard, *Newton*, Paris, Flammarion, 1994.

RIMBAUD, ARTHUR
Yves Bonnefoy, *Rimbaud*, Paris, Seuil, 1994.

Pierre Gascar, *Rimbaud et la Commune*, Paris, Gallimard, 1971.

Marcelin Pleynet, *Rimbaud en son temps*, Paris, Gallimard, 2005.

Jean-Luc Steinmetz, *Arthur Rimbaud : une question de présence*, Paris, Tallandier, 2004.

SAND, GEORGE
George Sand, *Histoire de ma vie*, Paris, Flammarion, 2001.

Maurice Agulhon, *1848 ou l'apprentissage de la République*, Paris, Seuil, 1973.

Joseph Barry, *George Sand ou le scandale de la liberté*, Paris, Seuil, 1982.

Anne-Marie de Brem, *George Sand. Un diable de femme*, Paris, Gallimard, 1997.

SANKARA, THOMAS
Bruno Jaffré, *Biographie de Thomas Sankara. La patrie ou la mort*, Paris, L'Harmattan, (1997) 2007.

Bruno Jaffré, « Thomas Sankara ou la dignité de l'Afrique », *Le Monde diplomatique*, octobre 2007.

Pascal Labazée, « L'encombrant héritage de Thomas Sankara », *Le Monde diplomatique*, octobre 2007.

Patrick Pesnot, *« Rendez-vous avec X »*, France Inter, 23 février 2002, en ligne sur http://www.thomassankara.net

François-Xavier Verschave, *Franç-afrique. Le plus long scandale de la République*, Paris, Stock, 1998.

SITTING BULL
David Cornu, *Little Big Horn. Autopsie d'une bataille légendaire*, Parçay-sur-Vienne, Anovi, 2008.

Philippe Jacquin, « Sitting Bull, la mort d'un héros indien », *L'Histoire*, décembre 1990.

Philippe Jacquin, « Sitting Bull, ou la vraie vie d'un chef sioux », *L'Histoire*, février 1999.

Stanley Vestal, *Sitting Bull, chef des Sioux Hunkpapa*, Paris, éditions du Rocher, 1992.

SPARTACUS
Élisabeth Deniaux, *Rome de la cité-État à l'empire*, Paris, Hachette, 2001.

Arthur Koestler, *Spartacus*, Paris, Calmann-Lévy, 2005.

Catherine Salles, *73 av. J.-C., Spartacus et la révolte des gladiateurs*, Bruxelles, Complexe, 2005.

Catherine Salles, « Spartacus, l'histoire », *Marianne-L'Histoire*, hors-série, août-septembre 2008.

TROTSKI
Léon Trotski, *Ma vie*, Paris, Gallimard, 1953.

Pierre Broué, *Trotski*, Fayard, 1988.

Stéphane Courtois, « Les derniers jours de Trotski », *L'Histoire*, septembre 2000.

Jean-Jacques Marie, *Trotski*, Paris, Autrement, 1998.

Nicolas Werth, *La Russie en révolution*, Gallimard, 1999.

VILLON, FRANÇOIS
Jean Favier, *François Villon*, Paris, Fayard, 1982.

Jean Favier, *Paris. Deux mille ans*, Paris, Fayard, 1997.

Georges Las Vergnas, *Villon, poète et clerc tonsuré*, Paris, Dargaud, 1947.

Jean Teulé, *Je, François Villon*, Paris, Julliard, 2006.

« Un adolescent au quartier Latin », Nadeije Laneyrie-Dagen (dir.), *Mémoire de la France*, Paris, Larousse, 2003.

OUVRAGES COLLECTIFS

Daniel Boorstin, *Les Découvreurs*, Paris, Robert Laffont, 1986.

Georges Minois, *Le culte des grands hommes*, Paris, Louis Audibert, 2005.

Emmanuel de Waresquiel (dir.), *Le siècle rebelle. Dictionnaire de la contestation au XXᵉ siècle*, Paris, Larousse, 2004 (1999).

« Les Grandes Rébellions », *Marianne-L'Histoire*, hors-série, août-septembre 2008.

INDEX

TABLE DES ILLUSTRATIONS

TABLE DES MATIÈRES

NO!

LES AUTEURS

Sur un de ses bulletins de classe de 5ᵉ, son professeur d'histoire-géo a un jour écrit : « A une forte capacité de persuasion pour démobiliser ses camarades. » **Francis Mizio**, ne parvenant jamais à « rentrer dans les cases », a multiplié les emplois les plus divers avant de les quitter au plus tôt, parce qu'il y a toujours un truc qui ne lui convient pas. Il a tout de même fait le journaliste quelques années (*Télérama*, *Libération*, *Le Nouvel Observateur* et pléthore de magazines…), mais là encore cela n'allait pas. Alors il est devenu écrivain, chroniqueur, scénariste, auteur de théâtre… Ses romans, chez divers éditeurs (il en a changé souvent, car parfois il y avait des désaccords), sont majoritairement humoristiques ou satiriques et mettent en scène des gens confrontés à des situations absurdes d'aujourd'hui, qui ne leur plaisent pas… Alors, forcément les portraits de rebelles ne pouvaient que le fasciner. Anne, sa coauteure sur ce livre, a toutefois enduré avec une patience d'ange ses réflexions sur sa manière de voir les choses… Malgré tout cela, certains le trouvent agréable !

Anne Blanchard travaille dans l'édition universitaire et l'édition pour la jeunesse. Elle conçoit ou rédige des livres sur des thèmes variés. Intéressée par l'Histoire, avec un grand H, elle collectionne aussi les petites histoires et anecdotes.

Le dessinateur **Serge Bloch** collabore avec la presse et l'édition, pour les enfants ou les adultes, en France comme à l'étranger. Il a coutume de dire : « Un dessin, c'est comme une fenêtre qu'on ouvre sur des personnages. C'est comme un petit théâtre que je peux actionner. C'est une idée que j'ai toujours bien aimée. » Il excelle à détourner les icônes et « aime de plus en plus mélanger le dessin et la photo parce que la photo nous fait tellement croire qu'elle est vraie. Souvent un seul élément en photo amène le réel et le dessin permet de jouer avec. »

CRÉDITS

Conception éditoriale : Anne Blanchard/*Marque de fabrique*
avec la précieuse collaboration de Thomas Dartige, responsable éditorial,
département des Documentaires, Gallimard Jeunesse

Relectures critiques : Christophe Giudicelli, historien, maître de conférences à l'université
Paris-Sorbonne nouvelle et Carole Helpiquet, historienne, professeur des collèges et lycées

Direction artistique : Élisabeth Cohat et Raymond Stoffel

Graphisme : Raymond Stoffel/stoffelram@free.fr

Suivi éditorial : Clotilde Oussiali

Rédaction des portraits : Francis Mizio et Anne Blanchard

Rédaction des encadrés : Anne Blanchard

Fabrication : Jacqueline Faverger et Christophe de Müllenheim

Coordination iconographique : Isabelle de Latour

Recherche iconographique : Valérie Delchambre-*Electron libre*/elibre@wanadoo.fr

Images documentaires : mise en couleurs et cadrages, Claire Poisson ;
schéma et frise chronologique, Charline Labbé

Recherches documentaires : *Marque de fabrique*/fabriques@free.fr
Marie Huet, Nadia Ouaddour et Marie-Isabelle Wasem.

Index : Zoé Cirou

Relecture typographique et orthographique : Lorène Bücher

Merci également à :
Vincent Brémond, Jeanne Delmar, Guillaume Finet,
Sophie Gudin, Aude Laporte, Alexandre Mourot,
Jean-Bernard Pouy, Marc Simon.

Dans la même collection :

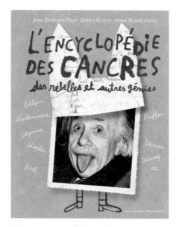

L'Encyclopédie des cancres

Jean-Bernard Pouy, Serge Bloch, Anne Blanchard

Qui aurait parié sur eux lorsqu'ils étaient jeunes ?

Voici une galerie de portraits d'hommes et de femmes qui ont marqué l'Histoire, la littérature,
les arts ou les sciences malgré des débuts chaotiques. Avec le temps, l'Histoire les a couverts de gloire, en a fait des génies.
Ces impressionnantes figures dominent notre culture scolaire comme des statues. Les dictionnaires et les musées
nous les présentent le front austère, des qualités plein les poches. Mais les poches ont des trous.

Redécouvrons ici ces grands noms autrement. À travers le récit de leur insolente jeunesse.

Prix de la presse des jeunes à Montreuil, Prix jeunesse de la Nuit du livre et Bologna Ragazzi Award 2007

Achevé d'imprimer :
Photogravure : IGS.
Imprimé et relié en France
par imprimerie des Deux Ponts